D1304118

Le kayak
de mer
au Québec

Conception de la maquette : Christine Hébert
Conception graphique : Suzanne Morin
Traitement des images : Mélanie Sabourin
Retouche d'images : Patrick Thibault
Révision : Sylvie Massariol
Correction des épreuves : Sylvie Tremblay

Toutes les photos de cet ouvrage sont l'œuvre
d'Alain Dumas sauf pages 39 et 148 (bas) :
Olivier Dallaire Dumas.

**Catalogage avant publication de
Bibliothèque et Archives Canada**

Ouellet, Yves
    Le kayak de mer au Québec

1. Kayak de mer – Québec (Province). 2. Canotage en
mer – Québec (Province). 3. Kayak de mer – Québec
(Province) – Anecdotes. 4. Kayak de mer – Québec
(Province) – Ouvrages illustrés. I. Dumas, Alain.
II. Titre.

GV776.15.Q8O93 2005   797.122'4'09714
C2005-940444-2

Gouvernement du Québec - programme de crédit
d'impôt pour l'édition de livres - Gestion SODEC –
www.sodec.gouv.qc.ca

L'Éditeur bénéficie du soutien de la Société de
développement des entreprises culturelles du Québec
pour son programme d'édition.

Le Conseil des Arts du Canada
The Canada Council for the Arts

Nous remercions le Conseil des Arts du Canada de
l'aide accordée à notre programme de publication.

Nous reconnaissons l'aide financière du gouvernement
du Canada par l'entremise du Programme d'aide au
développement de l'industrie de l'édition (PADIÉ) pour
nos activités d'édition.

03-2005

© 2005, Les Éditions de l'Homme,
une division du groupe Sogides

Tous droits réservés

Dépôt légal : 1er trimestre 2005
Bibliothèque nationale du Québec

ISBN 2-7619-2020-1

DISTRIBUTEURS EXCLUSIFS :

• Pour le Canada
et les États-Unis :
MESSAGERIES ADP*
955, rue Amherst
Montréal, Québec
H2L 3K4
Tél. : (514) 523-1182
Télécopieur : (450) 674-6237
* Filiale de Sogides ltée

• Pour la France et les autres pays :
INTERFORUM
Immeuble Paryseine, 3, Allée de la Seine
94854 Ivry Cedex
Tél. : 01 49 59 11 89/91
Télécopieur : 01 49 59 11 96
Commandes : Tél. : 02 38 32 71 00
              Télécopieur : 02 38 32 71 28

• Pour la Suisse :
INTERFORUM SUISSE
Case postale 69 - 1701 Fribourg - Suisse
Tél. : (41-26) 460-80-60
Télécopieur : (41-26) 460-80-68
Internet : www.havas.ch
Email : office@havas.ch
Distribution : OLF SA
Z.I. 3, Corminbœuf
Case postale 1061
CH-1701 Fribourg
Commandes : Tél. : (41-26) 467-53-33
              Télécopieur : (41-26) 467-54-66
              Email : commande@ofl.ch

• Pour la Belgique et le Luxembourg :
INTERFORUM BENELUX
Boulevard de l'Europe 117
B-1301 Wavre
Tél. : (010) 42-03-20
Télécopieur : (010) 41-20-24
http ://www.vups.be
Email : info@vups.be

Pour en savoir davantage sur nos publications,
visitez notre site : **www.edhomme.com**
Autres sites à visiter : www.edjour.com
www.edtypo.com • www.edvlb.com
www.edhexagone.com • www.edutilis.com

Le kayak de mer

au Québec

texte **Yves Ouellet**

photographies **Alain Dumas**

LES ÉDITIONS DE L'HOMME

À Pierre Beaudoin,
esprit libre, compagnon et inspiration

Anticosti, baie Natiscotec

Table des matières

# Préface

Un livre signé Yves Ouellet et Alain Dumas, c'est toujours un voyage, une escapade dans les plus beaux coins de notre majestueuse nature québécoise ! Alain est depuis longtemps dans mon carnet d'adresses, alors que le canot était roi et maître de nos rivières et de nos cours d'eau ! Vous préciser des dates serait vous dévoiler mon secret bien gardé, malgré les rides et ma peau burinée par les soleils de partout ! Je préciserais plutôt que j'ai toujours été le bébé du groupe d'aventuriers aux premiers temps du plein air « équipé » !

Yves et moi avons fait rencontre le derrière dans un kayak de mer. J'étais là lors de son baptême, dans le temps où je faisais du kayak plus de 100 jours par été.

J'aime pagayer, c'est une seconde nature, une communion, ma façon de me brancher avec les éléments. L'eau coule de source, elle coule toujours vers plus grand, vers l'immensité. Elle est pour moi le baromètre des saisons ; elle est vivante. Elle transforme les paysages, en passant de glaces à crues, de torrents à rapides, d'une mer d'huile à des vagues de deux mètres. Comment ne pas y trouver son plaisir et y apprendre l'humilité ? Car jouer sur l'eau, c'est accepter de se faire dompter. C'est accepter aussi de modifier ses plans et ses itinéraires. C'est accepter surtout de prendre le temps, celui de vivre pleinement.

Yves met des mots et des paroles sur des paysages et des rencontres exceptionnelles. Alain, lui, met des images... On croirait y être, et on voudrait déjà y retourner !

Faites-vous le plaisir de pagayer tout au long de ces magnifiques récits, d'un bout à l'autre des plus beaux endroits du Québec pour pratiquer le kayak de mer. Le moyen de locomotion le mieux adapté, selon moi, pour naviguer de surprise en surprise. J'aime me laisser surprendre. Et vous ?

HÉLÈNE PHILLION
Spécialiste du kayak et du plein air

Les îles de Kamouraska

Introduction

∼ Il était un petit navire...

Au fin fond de nos fibres... des racines de notre histoire jusqu'au pourquoi de ce que nous sommes, il y a en nous un être profondément épris de liberté – la femme ou l'homme qui a besoin des espaces sans barrière, l'humain qui veut faire éclater les chaînes oppressantes du monde moderne pour renouer avec l'essence même de la vie : la nature dans ce qu'elle a de plus magistrale ou de plus secrète.

Petit esquif, oasis de quiétude et de contemplation, le kayak de mer permet, comme nulle autre embarcation, de laisser filer le temps, de goûter l'instant, de palper les vents, d'apprécier l'environnement naturel marin ainsi que l'intense sentiment de liberté qu'il peut procurer. C'est il y a presque une vingtaine d'années qu'on a découvert le kayak de mer et, subtilement, sans qu'on lui résiste, le plaisir de naviguer s'est transformé en un véritable engouement.

À mon retour d'une expédition dans l'Arctique, au nord de la terre de Baffin, j'ai racheté une bonne partie du matériel et des kayaks sans prévenir. Comme d'habitude, ma conjointe m'a trouvé extravagant mais, depuis, elle est devenue encore plus mordue que moi. Durant des jours, voire des semaines, elle planifie les voyages en sélectionnant judicieusement les baies, les lacs et les rivières où nous jetterons l'ancre avec notre petite autocaravane.

Nous ne cessons depuis d'être émerveillés par les horizons nautiques qui se peignent en nuances et en différences du matin au soir, du soleil aux nuages. Nous renouons avec la majesté des éléments et l'imprévisibilité de leurs fantaisies tout en rétablissant ce contact vital avec les forces et les beautés de la nature. Le kayak de mer nous oblige à replonger en nous-mêmes et nous remet à notre place dans ce monde où nous nous croyons grands.

Grandes Bergeronnes

~ Les complices

C'est aussi à la même époque que Alain Dumas et moi avons fait converger nos vies professionnelles vers la réalisation de beaux livres sur les régions du Québec, en commençant par le fjord du Saguenay. Alain avait déjà une longue expérience du plein air, du canotage tout particulièrement. Il avait guidé de nombreuses excursions et pris part à de grandes expéditions. L'une d'entre elles l'a conduit d'un bout à l'autre de la fameuse Routes des fourrures, de la baie James à Tadoussac, en naviguant sur des rivières mythiques comme l'Harricana, l'Ashuapmushuan et le Saguenay. Comme bien d'autres copains saguenéens engagés de près ou de loin dans l'aventure de la compagnie chicoutimienne Chlorophylle Haute Technologie, il était à l'affût de tout ce qui s'avérait « tendance » à l'époque, et le kayak de mer faisait partie de ces nouveaux défis.

~ Les plaisirs

À nos yeux, le kayak de mer est tout sauf un sport de compétition ou de dépassement personnel sur le plan physique. Il s'agit d'un loisir familial et amical qui convient aisément à tous. D'ailleurs, ma fille nous accompagne depuis l'âge de six ans et des amis s'y sont mis dans la cinquantaine et nous suivent désormais dans toutes nos aventures. S'il s'en trouve pour voir dans cette activité un objet de conditionnement physique et de *challenge*, nous leur laissons respectueusement cette perspective sans la partager.

La volupté du kayak de mer se trouve dans le silence, qui nous incite à être attentifs au moindre bruit. Celui d'une cascade qui dévale la falaise, d'un phoque qui plonge subitement ou d'un béluga qui souffle en surface. La cadence régulière de la pagaie devient obsédante et invite à une introspection encore plus marquée. On fixe alors la pointe de la proue qui fend l'eau et on se perd dans ses pensées. Il s'agit d'une méditation, d'un contact avec l'éternité et d'un plongeon en soi-même... à moins que l'on ne tienne à partager ses impressions ou à commenter le voyage avec la personne qui complète le biplace.

Le plaisir du kayak de mer tient aussi à sa faculté de combler notre curiosité insatiable envers la faune, la flore, le voyage, les nouveaux horizons et les nouvelles amitiés. La simplicité des bonheurs que nous procure le kayak de mer est inversement proportionnelle à leur richesse. Qu'y a-t-il de plus extraordinaire, pour nous qui avons l'immense privilège de vivre aux abords du Saguenay, que de pagayer quelques heures sur la rivière pour se rendre sous le cap Saint-François, devant la ville qui s'agite, afin de savourer un repas toujours délicieux, une bouteille de bon vin, puis de rentrer avec le soleil couchant qui illumine les monts Valin ? Qu'y a-t-il de plus fort que d'être médusé par le souffle d'une baleine qui détone à proximité sans prévenir ? de plus attendrissant que de surprendre une famille d'eiders à duvet au détour d'une anse ? de plus rare que d'entendre le chuintement dans l'air du vol d'un oiseau de mer passant au-dessus de nos têtes ? de plus inquiétant que de sentir la vague s'élever et

de voir le *squall* s'avancer, précédé d'une muraille de vent? de plus gratifiant que de constater le ravissement des amis que l'on initie? de plus inoubliable que le campement monté sur la plage et le spectacle du soleil couchant? de plus curieux que l'œil du phoque qui suppute l'étrange chose s'approchant de lui? de plus divin que l'étale qui arrête le temps au milieu des grands caps du fjord ou entre les îles de l'archipel de Kamouraska?

~ Il était une fois...

Le kayak de mer est apparu chez nous au milieu de la décennie 1980, importé de la côte Ouest par quelques Saguenéens mordus de plein air. Ils ont vu dans leur fjord le terrain de jeu idéal pour ce genre d'embarcation. Tout de suite, ce petit bateau coloré a suscité une grande curiosité. Pas une fois, pas un endroit où nous n'avons mis nos kayaks à l'eau sans créer un attroupement. «Est-ce que c'est des flotteurs d'hydravion, monsieur?»

J'ai, pour ma part, été initié au kayak en 1987, lors d'une sortie de trois jours organisée sur le Saguenay par les défuntes boutiques L'Aventurier dans le but de promouvoir l'activité naissante. J'étais, à ce moment-là, chroniqueur dans le domaine du plein air pour la radio de la Société Radio-Canada au Saguenay – Lac-Saint-Jean. Il s'avérait alors capital de faire connaître le kayak de mer et de le démarquer du kayak d'eaux vives qui en effrayait plusieurs, travail qui n'est pas encore totalement achevé. Pour y parvenir, on n'a trouvé qu'un moyen: initier les amateurs de plein air un à un en leur faisant

essayer le kayak dans de bonnes conditions. Et cela a déclenché progressivement un engouement, qui a pris l'allure d'une vague exponentielle avec le résultat que l'on connaît aujourd'hui.

Peu de temps après, soit en 1989, nous avons mis sur pied une expédition à Pond Inlet (terre de Baffin), au-delà du 74e parallèle, au pays du soleil de minuit. Avec Gilles Couët, Hélène Phillion, Régis Pageau, Robert Michaud, Richard Weber et Mike Beedell comme héros d'une aventure extraordinaire, l'équipe de tournage dont je faisais partie s'est lancée à la quête du narval. De cette incursion dans l'Arctique, Carl Brubacher a réalisé un film qui a fait le tour du monde et remporté une douzaine de prix. Ce documentaire, duquel j'ai tiré mon premier ouvrage *Expédition narval: une aventure dans l'Arctique,* a certainement contribué à donner la piqûre à quelques kayakistes. Il a été diffusé au Québec comme sujet d'ouverture de la saison d'automne 1990 à Télé-Québec (appelée Radio-Québec à l'époque). Après avoir été traduit en anglais et en innuttitut, il a été présenté sur les réseaux canadiens CBC, CBC North.

Les hasards s'enchaînant, j'ai été invité à m'associer à un kayakiste émérite et photographe exceptionnel: Alain Dumas. Déjà, Alain possédait une expérience impressionnante en canot-camping, à titre de guide d'excursion et d'expédition. Puis il est devenu l'un des tout premiers guides de kayak de mer du Québec pour le pourvoyeur saguenéen Guide Aventure. Pendant six ans, au début des années 1990, nous avons arpenté minutieusement le fjord du Saguenay presque rocher par rocher. De cette prospection

obsédante est né notre premier ouvrage en complicité, *Le fjord du Saguenay : merveille du Québec,* qui a révélé aux amants du plein air cette incroyable splendeur qu'est ce fjord québécois. Au dos du livre, la célèbre photo d'Alain, illustrant un kayak de mer au milieu de deux queues de rorquals à bosse, a fait plus pour la promotion du kayak que bien des discours.

La vague était levée ! Les pourvoyeurs offrant des forfaits de kayak de mer sur le fjord et sur le Saint-Laurent se sont multipliés. À preuve : le nombre de jours/kayak enregistrés sur le Saguenay est passé de 125 en 1991 à 15 000 en 1997 ! Le bassin d'adeptes a connu une croissance pyramidale qui ne se dément toujours pas. Des parcs nationaux se sont dotés de flottes d'embarcations en location, puis ils ont mis sur pied les infrastructures et les services nécessaires à cette activité. La vogue de l'observation des baleines a, bien sûr, ajouté un facteur multiplicateur majeur. Mais l'essentiel réside dans le fait que chaque kayakiste se sent un peu investi du devoir de convertir son entourage au kayak de mer, contribuant ainsi concrètement à sa popularité.

~ Une contagion fulgurante

Les kayakistes de la première heure sont bel et bien responsables de cette contagion qui s'est répandue en quelques années à peine au point de devenir fulgurante. Résultat : dans la plupart des régions du Québec – de la Baie-James à la Minganie, en passant par les archipels de Sorel, des Mille-Îles et de Boucherville, puis par le lac Saint-Jean, le fjord du Saguenay, la péninsule de la Gaspésie, les Îles-de-la-Madeleine et la baie des Chaleurs –, chaque village donnant sur un plan d'eau a ses apôtres du kayak de mer ou son pourvoyeur offrant des forfaits d'aventure ainsi que la location d'embarcations. Aujourd'hui, des milliers de Québécois ou de touristes choisissent cette activité pour meubler leurs vacances.

L'industrie touristique a ainsi trouvé dans le kayak de mer un nouveau moteur pour régénérer l'écotourisme ainsi qu'une carte de visite extrêmement éloquente. La seule région du Saguenay, incluant Tadoussac, attire maintenant chaque année de 12 000 à 15 000 touristes, qui louent une embarcation sur place. Le nombre de voitures que l'on y croise portant un kayak de mer sur le toit est effarant.

Les sites Internet sur le kayak de mer, les sites de discussion, les clubs sportifs et les promoteurs touristiques ne cessent de se multiplier. Pas une boutique de plein air digne de ce nom ne peut écarter ce marché. Plusieurs fabricants sont même apparus au Québec, comme dans l'ensemble de l'Amérique du Nord. Un peu partout, on organise des festivals pour les kayakistes, et la réponse à ces événements est plus qu'enthousiaste.

Signe incontestable de l'assimilation du kayak de mer à nos mœurs touristiques et à nos habitudes de plein air, au cours des dernières années, la quasi-totalité des régions touristiques du Québec ont utilisé l'image du kayak de mer dans leurs documents promotionnels ou en couverture de leur guide touristique officiel. J'ai pu constater le même phénomène dans les provinces atlan-

Île Niapiskau, Minganie

tiques comme tout au long de la côte est américaine. La ville de Saguenay axe sa publicité sur l'image de kayakistes naviguant sur le fjord afin de convaincre les professionnels des grands centres urbains de venir s'installer dans une région où les embouteillages cèdent le pas à une activité qualifiée d'«antistress».

Argument ultime s'il en faut, même le premier ministre du Québec, Jean Charest, a consacré récemment une partie de ses vacances en famille à la pratique du kayak de mer sur le Saguenay! Que peut-on affirmer de plus après la consécration officielle, alors que la Fédération québécoise de canot-camping a modifié son nom en 1998 pour devenir la Fédération québécoise du canot et du kayak?

∽ Notre approche

Avec le recul, nous pouvons affirmer aujourd'hui que nous avons commencé à travailler à cet ouvrage dès le début des années 1990, à l'amorce de notre complicité littéraire. Dans toutes les régions où nous avons œuvré, le kayak de mer a toujours été à l'avant-plan. Ce faisant, nous avons pu présenter et illustrer les régions d'un point de vue nouveau et intéresser une clientèle tout aussi nouvelle : celle des amateurs de plein air. Nous avons toujours nourri le rêve de consacrer un ouvrage entier au kayak de mer à partir de notre perspective personnelle, plus orientée vers le tourisme que vers le sport. Et l'occasion nous en est maintenant offerte.

Ce livre se veut donc d'abord un hommage au kayak de mer et aux merveilles naturelles du Québec maritime. Il présente plusieurs des plus beaux endroits où l'on peut pratiquer cette activité... plusieurs, mais pas tous, cela va de soi. Nous aurions aimé kayaker sur tous les grands plans d'eau du Québec et d'un bout à l'autre des deux côtes du Saint-Laurent. Cela n'a malheureusement pas été possible. Nous avons plutôt retenu les endroits où le kayak se pratique déjà et où il existe au moins un minimum d'infrastructures pour accueillir les kayakistes. Nous avons voulu approfondir les connaissances sur l'histoire et la fabrication de cette embarcation.

Nous avons abordé la sécurité et les questions techniques, mais sans trop insister puisque ce livre est tout sauf un ouvrage purement technique. Il met plutôt des paysages, des ambiances, des visages, des histoires et une âme sur une activité nautique qui est simplement source de bonheur et d'inspiration. Nous abhorrons l'élitisme et préconisons le droit pour tous de profiter des joies du kayak de mer. Comme toujours, nous nous sommes laissé guider par nos affinités, nos goûts et, fondamentalement, par notre sens du plaisir, qui est particulièrement exacerbé. Nous avons d'ailleurs la prétention de croire que notre plaisir sera le vôtre...

Tout ce que nous souhaitons maintenant, c'est que les amateurs de kayak de mer se reconnaissent dans cet ouvrage, qu'ils y trouvent l'illustration de leurs plus beaux souvenirs ainsi que la source de nouveaux rêves. Place à notre passion!

Une douche d'eau douce.
Pages suivantes : Il était un petit navire...

LE KAYAK DE MER

Un peu d'histoire
Les caractéristiques du kayak
La fabrication des kayaks

Un peu d'histoire

L'histoire du kayak de mer se perd dans un passé qui plonge très au-delà de la mémoire. Les peuples du Nord qui en ont fait leur embarcation de chasse sont fort probablement d'origine mongolienne et seraient passés de l'Asie au continent nord-américain à la suite du recul des glaciers. Ils auraient emprunté le détroit de Béring au moment où les deux continents se touchaient encore. Plusieurs vagues d'émigration seraient survenues, les premières remontant sans doute à 4 000 ans et les plus récentes, à cinq siècles. Des preuves archéologiques démontrent la présence du kayak dans les régions nordiques il y a quatre millénaires.

Au Québec, ceux que l'on appelait les Esquimaux auraient jadis fréquenté l'île d'Anticosti et les côtes du fleuve Saint-Laurent, particulièrement la région de la Minganie autour d'Havre-Saint-Pierre, qui portait autrefois le nom de «Pointe-aux-Esquimaux». Ils auraient été repoussés au nord lors de conflits les opposant aux Amérindiens. Aujourd'hui, les Inuits sont dispersés sur un territoire circumpolaire qui touche plusieurs pays, principalement le Canada, la Russie et le Groenland (un territoire du Danemark). Au Québec, ils sont moins de 10 000, répartis dans 14 communautés. Leur territoire, situé au nord du 55e parallèle, s'appelle le Nunavik et couvre 600 000 km². Malheureusement, sur toute l'immensité de cet espace nordique, on aurait sans doute assez de nos dix doigts pour compter les kayaks traditionnels restants.

J'ai eu l'occasion d'en voir un à Kuujjuarapik, en 1990, ce qui m'a permis de constater l'incroyable similitude quant à la forme et à la taille entre nos kayaks modernes et celui dont les Inuits se servent depuis toujours. Plus récemment, sur la terre de

Photo : J.J. O'Neil, 1913

Filet à poissons tiré hors de Bernard Harbour (Nunavut)
Page 26 : L'îlet aux Alouettes, à l'embouchure du fjord du Saguenay

Baffin dans le Grand-Nord, j'ai également pu observer avec quelle facilité nos guides inuits manœuvraient nos embarcations sans, naturellement, utiliser le gouvernail. Les matériaux et la présence du gouvernail demeurent les principales différences entre nos kayaks et ceux qu'ils ont connus. Par ailleurs, la pagaie traditionnelle est droite et étroite, alors que la version moderne est dotée de pale dont l'angle est ajustable.

L'étymologie

Avant d'être adopté sous sa forme actuelle, le mot «kayak» s'écrivait de diverses façons: *kyak*, *kyack*, *kaiak*, *kayik* et *qajaq*, entre autres. Le *Dictionnaire canadien-français* de Sylva Clapin fait une observation très intéressante quant à l'étymologie du mot.

> *Une coïncidence assez curieuse se remarque entre le kayak des Esquimaux et le kayik des Yaoutes de Sibérie, ce dernier étant aussi un canot de pêche. Selon toute probabilité, notre propre mot kayak a donc dû prendre naissance en Sibérie, dans les parages du lac Baïkal, puis, de là, passant aux Esquimaux de la Léna, arriva en Amérique avec ces derniers, via le détroit de Behring. S'il est vrai qu'aucun fait, si petit qu'il soit, ne doit être laissé de côté pour l'intelligence des choses préhistoriques, ce mot kayak viendrait donc aussi singulièrement à l'appui de ceux qui prétendent que l'Amérique a été peuplée, à l'origine, à l'aide de migrations venues d'Asie.*

De l'*umiak* au kayak

Sauf pour les populations de l'Arctique central, le kayak est essentiellement une embarcation de mer. Son ancêtre serait sans doute *l'umiak*, un bateau ouvert fait de bois et de peaux de phoque, qui pouvait mesurer de 5 à 18 m de longueur. Il servait principalement, lors des déplacements de groupe à la suite des troupeaux en migration, à transporter les biens domestiques et les équipements, les aînés et les enfants. Une fois doté d'un pont couvert en peau, l'*umiak* aurait évolué jusqu'au kayak traditionnel. En période de chasse, les femmes pagayaient sur un *umiak*, alors que les hommes se déplaçaient en kayak autour de l'embarcation principale.

Aux yeux des Inuits, le kayak représentait donc l'outil idéal pour chasser les petites baleines, bélugas ou narvals, les morses ou les phoques et même les oiseaux ainsi que les caribous. Grâce à sa stabilité et à sa faible hauteur, le chasseur pouvait harponner ses proies efficacement. Il avait à portée de main, sur le tablier du kayak, tout ce dont il avait besoin, entre autres son harpon, relié à une courroie de cuir et au flotteur fait d'une peau de phoque gonflée. De cette arme, parfois lancée à l'aide d'un propulseur, il frappait ses victimes, puis les laissait s'épuiser à remorquer le flotteur qui, en fin de compte, les maintenait près de la surface.

Le kayakiste inuit était maintenu au sec par ses vêtements de peaux de phoque parfaitement étanches grâce à la technique de couture ancestrale au point perdu qui permet d'introduire le fil dans la peau sans la percer. La pièce vestimentaire principale consistait en ce que nous verrions aujourd'hui comme une combinaison de la jupette et de la veste de pagaie : le *tulik*. Cette autre invention extraordinaire des peuples du Nord faisait littéralement corps avec le kayak et le kayakiste. Le *tulik* ceignait hermétiquement l'hiloire et enveloppait de façon relativement ample tout le corps du pagayeur ainsi que sa tête, en s'ajustant le plus possible autour du visage. Ainsi équipé, il pouvait esquimauter, ou chavirer volontairement, pour contrer une vague déferlante qui menaçait de l'engloutir. Par temps chaud, l'Inuit portait un vêtement plus léger, mais il laissait rarement de côté ses mitaines de cuir. Certains groupes portaient aussi des chapeaux à large rebord pour se protéger du soleil.

Selon la région, le kayak inuit variait de forme et de longueur. Il était adapté aux besoins spécifiques des chasseurs ainsi qu'aux saisons de navigation qui ne dépassaient guère 90 jours sous certaines latitudes. Plusieurs populations nomades suivaient les grands troupeaux de caribou en constant déplacement. D'autres vivaient dans des camps de base, saisonniers ou permanents, qui ne se trouvaient pas nécessairement sur les côtes. Dans la plupart des cas, il fallait transporter les kayaks sur de longues distances jusqu'à la mer ou naviguer sur les rivières qui permettaient d'accéder à l'intérieur du territoire.

Le kayak devait aussi répondre aux exigences particulières du transport des captures au retour des expéditions. Les chasseurs de phoques chargeaient leurs prises sur le pont du kayak, comme le montrent encore de nos jours plusieurs sculptures esquimaudes qui reprennent le thème de la chasse en kayak. Cette pratique suppose donc une embarcation de fort volume capable de supporter un poids supplémentaire d'au moins 70 kg.

Une autre méthode consistait à ramener la prise sur la rive en la remorquant à l'aide de crochets et à la débiter en pièces pouvant entrer à l'intérieur du kayak. Cela représentait évidemment un volume important pour l'embarcation. L'animal était aussi parfois remorqué le long du kayak, mais comme les carcasses ont plutôt tendance à couler, il fallait lui insuffler de l'air dans les voies respiratoires que l'on

Photo : George H. Wilkins, 1914

Burt McConnel dans un kayak dans le lagon Clarence (Territoire du Yukon)

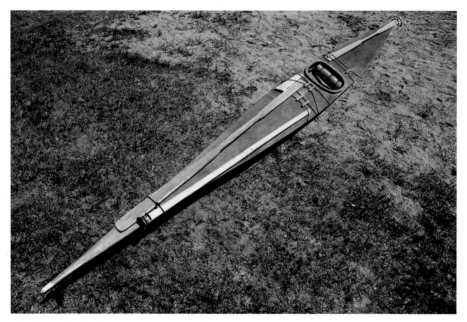

Kayak groenlandais d'inspiration traditionnelle

maintenait en place avec un bouchon de bois, ou encore l'attacher à des ballons d'air faits d'une peau de phoque entière. Cette dernière technique permettait de laisser la prise flotter lorsqu'on se lançait à la poursuite d'une nouvelle proie. Les oiseaux et les poissons étaient conservés dans le fond du kayak, la plupart du temps ; parfois aussi, les poissons étaient toués dans l'eau après avoir été tués.

Tous les kayakistes sont en mesure de comprendre aisément que la chasse à bord d'un kayak et sur des eaux glaciales représentait un danger constant même pour les Inuits qui étaient d'excellents navigateurs. Qui plus est, ces peuples ne disposaient d'aucune protection thermique comparable aux vêtements isothermiques contemporains ou à notre équipement de sécurité, notamment nos vestes de flottaison. S'expulser du kayak était automatiquement synonyme de

mort. Les animaux blessés, tout spécialement les morses, pouvaient se retourner contre le chasseur et détruire son embarcation en un coup de défense. Les morses n'ont d'ailleurs pas besoin d'être attaqués pour fondre sur un kayak. Par ailleurs, il arrivait fréquemment que le cordage du harpon s'enroule autour de l'embarcation et la renverse ou qu'une baleine harponnée entraîne son poursuivant dans une course imprévue et le déstabilise avant même qu'il puisse jeter le ballon de flottaison.

Le formateur de haut niveau et spécialiste américain Sam Crowley relate à ce sujet certaines données extrêmement convaincantes, relevées au XIXe siècle dans un village du sud du Groenland qui comptait 5 614 habitants, dont 2 591 hommes. Sur 162 décès survenus en 1888, 90 étaient des hommes et 24 d'entre eux étaient morts accidentellement en kayak. Le même nombre de morts en kayak a été enregistré l'année suivante, ce qui indique une constante à ce chapitre ainsi qu'un pourcentage de décès attribuables au kayak pouvant dépasser 25%.

≈ Concepts et construction

En règle générale, le kayak inuit était construit sur mesure pour faire corps avec son propriétaire. Celui de la terre de Baffin était remarquablement effilé et long, alors que celui de l'Alaska, plus court et plus trapu, s'avérait plus stable. Contrastant avec la sobriété du kayak utilisé dans l'archipel des Aléoutiennes, le kayak du Groenland de l'Ouest, qu'on retrouvait aussi à l'est de l'Arctique canadien (Nunavut), se rapprochait sans conteste de l'embarcation contemporaine. Les historiens qui se sont penchés sur la question ont cerné en fait cinq concepts principaux qui ont influencé l'évolution du kayak de mer; ils proviennent des régions du Groenland, de la terre de Baffin, du détroit de Béring (au sud des Aléoutiennes), du sud-est de la Sibérie et des îles Aléoutiennes.

On a peine à imaginer l'incroyable problématique que représentait la recherche de matériaux dans un environnement sans arbre, dépourvu d'à peu près tout ce qui nous semble aujourd'hui essentiel à la construction d'une embarcation. Le kayak traditionnel était fabriqué de morceaux de bois d'épave ou de bois de dérive récupérés sur les plages, assemblés avec des ossements ou des pièces d'ivoire, que l'on attachait à l'aide de ligaments et de tendons ou de cordage de cuir.

L'évolution de la fabrication du kayak a été étroitement liée au progrès des outils eux-mêmes, qui sont passés des instruments de pierre, de bois, d'ivoire et d'os taillé aux matières beaucoup plus résistantes comme le fer météoritique traité à froid ou le cuivre des effleurements de surface. La structure extrêmement complexe du kayak était généralement recouverte de peaux de phoque rasées. Certains groupes utilisaient aussi les peaux de lion de mer, de morse ou de caribou. Pour maintenir l'imperméabilité des peaux, il fallait les enduire d'huile toutes les semaines et faire sécher les bateaux tous les jours lorsqu'ils servaient quotidiennement.

≈ Le kayak moderne

Les premiers essais connus de fabrication d'une embarcation apparentée au kayak de mer remonteraient à 1865, alors que John McGregor construisit le *McGregor Canoe* en s'inspirant de dessins représentant des kayaks inuits. Le kayak a ensuite été admis en 1936 aux Jeux olympiques de Berlin comme épreuve sportive officielle.

Les origines du kayak de mer, tel que nous le concevons de nos jours, sont relativement récentes, mais elles puisent tout de même au cœur de la tradition inuite. Au Québec, le kayak de mer nous est venu de l'Ouest canadien et américain où il s'est fait des adeptes et où il a été construit puis commercialisé avant de nous parvenir. Sa création initiale nous conduit cependant en Écosse : un jeune étudiant de Glasgow, Ken Taylor, réalisa en 1959 une expédition dans l'ouest du Groenland et en rapporta un kayak en peaux de phoque. Son ami Duncan Winning photographia l'embarcation sous toutes ses coutures et réalisa les plans de construction qui servirent d'inspiration première aux amateurs. En août 2004, à l'âge de 64 ans, Duncan Winning déclarait au journaliste Jim McBeth ce qui suit : «Pratiquement tous les kayaks modernes fabriqués depuis l'ont été à partir de ces spécifications.» Il revenait tout juste d'une expédition de trois semaines au Groenland l'ayant conduit au lieu exact où avait été fabriqué le fameux kayak à l'origine de tout. Dans le village d'Igdlorsuit, sur l'île Uummannaq (une île du Groenland), il a retrouvé deux des fils et plusieurs descendants de l'artisan qui a fabriqué le kayak rapporté par son comparse Taylor.

Alex Ferguson, un spécialiste du kayak moderne, affirme quant à lui que l'embarcation de Ken Taylor a été reproduite à maintes reprises, mais que la version réalisée par Geoff Blackford en 1971 s'est avérée déterminante. Blackford a effectivement redimensionné le kayak traditionnel à sa taille en respectant le canevas groenlandais, mais en élevant la poupe et en fabriquant un prototype en contre-plaqué qui mesurait 5,2 m de longueur et 53,3 cm de largeur. Ce modèle a servi à la confection d'un moule de fibre de verre qui a finalement été commercialisé sous le nom *Anas Acuta* par la compagnie Valley Products, dirigée par Frank Goodman.

Les Bergeronnes, Haute-Côte-Nord

L'aventurier britannique Colin Mortlock a ensuite mis sur pied la première expédition en kayak de mer moderne, au cours de laquelle il a parcouru les fjords de Norvège jusqu'au cap le plus nordique d'Europe, Nordkapp (en français, Cap Nord). Il en est revenu avec la conviction qu'il fallait créer un kayak de volume beaucoup plus important sans que soit trop affectée sa manœuvrabilité et sa navigabilité. Il a ainsi élaboré le modèle *Nordkapp* sur la base du kayak groenlandais, mais en ajoutant des éléments propres au design des bateaux standard, dont une coque ronde qui offre une plus grande capacité de charge. Le *Nordkapp* est ainsi devenu l'ancêtre direct du kayak de mer contemporain.

Les caractéristiques du kayak

On le constate, les formes traditionnelles des embarcations du Groenland et de l'Alaska ont engendré une multitude de modèles de kayak qui, encore une fois, se sont adaptés aux nombreuses particularités des régions où ils évoluent.

La première précision à apporter quant au kayak de mer moderne consiste à le démarquer catégoriquement et définitivement du kayak d'eaux vives ou kayak de rivière (*whitewater*). Non pas qu'il y ait rivalité ou incompatibilité entre les deux, puisque leurs origines sont similaires, mais il y a tout de même des différences notables, tant dans leurs formes que dans leurs usages. Le kayak d'eaux vives est beaucoup plus petit, plus court et plus plat que son parent de mer. Il est conçu pour affronter les rapides et les torrents en permettant des esquimautages plus faciles, des changements de direction instantanés ou du surf sur les vagues et les rouleaux. Plusieurs classent la discipline olympique du kayak dans les sports extrêmes...

Il existe aussi sur le marché des kayaks de lac pour la simple promenade et des kayaks de rivière utilisés pour les descentes de cours d'eau calmes. Un peu plus longs, soit mesurant de 3 à 4 m, ils ont une parenté visuelle avec le kayak de mer, mais ne possèdent ni gouvernail ni caissons.

La dernière mode nous vient des mers du Sud avec le kayak ouvert (*sit on top*) qu'on trouve régulièrement sur les plages et avec lequel on peut s'amuser à surfer sur les vagues. Facile à manœuvrer, cette embarcation rassure beaucoup les vacanciers que rebute l'idée de s'asseoir à l'intérieur d'un kayak fermé, craignant de s'y sentir prisonniers.

Toutefois, il peut s'avérer difficile de tracer une ligne définie entre le kayak de mer, le kayak de randonnée ou le kayak récréatif, certains modèles chevauchant parfois deux concepts. On constate d'ailleurs la même situation dans le monde du vélo avec des modèles de course, de cyclotourisme, de montagne ou hybride. Un vélo hybride conviendra à plusieurs utilisations et offrira une performance satisfaisante sur la route ou sur les sentiers forestiers. Par contre, même un athlète de haut niveau montant un vélo hybride aura peine à tenir le rythme d'un bon cycliste roulant

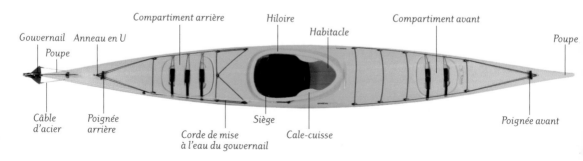

Gouvernail
Poupe
Câble d'acier
Anneau en U
Poignée arrière
Compartiment arrière
Corde de mise à l'eau du gouvernail
Siège
Hiloire
Habitacle
Cale-cuisse
Compartiment avant
Poupe
Poignée avant

sur un vélo de course. De même, dans un sentier montagneux, le vélo hybride arrivera à faire le travail, mais jamais aussi bien qu'un véritable vélo de montagne.

Le kayak de mer est habituellement doté de deux caissons hermétiques situés aux extrémités et auxquels on accède par des ouvertures étanches sur le tablier. Grâce à ces «coffres à bagages», qui sont isolés de l'habitacle, et à son volume de cargo plus ou moins grand, il se prête à merveille aux excursions de plusieurs jours en couple ou avec un petit groupe d'amis puisqu'on y loge facilement tout l'équipement de camping, les vêtements, la nourriture et les petits extras associés aux plaisirs de la vie ou à ses nécessités. L'apprentissage des principes de navigation, des règles de sécurité de base et de la technique de pagaie s'effectue en quelques heures à peine, ce qui rend le loisir très accessible.

～ Vitesse et manœuvrabilité

Descendant du kayak inuit traditionnel en usage depuis 4 000 ans, le kayak de mer fait figure de grand frère plus tranquille si on le compare aux membres de la famille qui se promènent en eaux vives. Bien qu'il y en ait de plus courts, les modèles monoplaces font généralement de 5 à 6 m de longueur, alors que les biplaces atteignent de 6 à 8 m. Il est recommandé de ne pas utiliser de bateaux de moins de 4 m en mer pour s'assurer un minimum de maniabilité.

La longueur du kayak détermine la longueur de sa ligne d'eau, un facteur précisant le coefficient de vitesse de la coque. Plus l'embarcation est longue (jusqu'à une certaine limite qui se situe au-dessus de 6 m pour un monoplace), mieux elle garde le cap et plus elle devrait être rapide. Par exemple, un kayak de 5,5 m sera plus rapide qu'un congénère de 4,5 m de même largeur. Le poids du kayakiste influence également la vitesse : plus il est lourd, plus il augmente la surface immergée et ralentit l'embarcation. En contrepartie, un poids plus important ou un chargement amélioreront la stabilité de l'embarcation. La longueur influence aussi le balancement avant-arrière (tangage) sur les vagues courtes ; elle amenuise l'effet des vagues et réduit les éclaboussures.

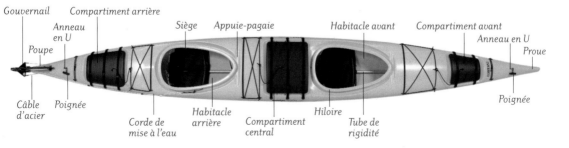

Gouvernail — Compartiment arrière — Anneau en U — Poupe — Siège — Appuie-pagaie — Habitacle avant — Compartiment avant — Anneau en U — Proue — Câble d'acier — Poignée — Corde de mise à l'eau — Habitacle arrière — Compartiment central — Hiloire — Tube de rigidité — Poignée

Kayakiste en propulsion

L'autre élément à considérer dans le choix d'un kayak de mer est sa manœuvrabilité. Cette dernière caractéristique est déterminée par le giron (courbe longitudinale de la ligne de quille) et par la longueur de la ligne d'eau. En s'inclinant (gîter) pour virer de bord, un kayak très gironné obéira rapidement puisque sa ligne d'eau diminuera de façon appréciable ; par contre, cette manœuvre exige une bonne maîtrise de la technique de pagaie. Ainsi, un kayak plus court ou avec un giron prononcé est plus manœuvrable, plus polyvalent et il permet d'effectuer des virages plus rapides, mais il offre moins de confort ; de plus, il faut davantage d'énergie pour le diriger. L'embarcation aura effectivement tendance à s'écarter légèrement de la ligne droite à chaque coup de pagaie et exigera des corrections de cap constantes. La plupart des kayaks de mer n'ont qu'un très faible giron.

≈ Question de stabilité

Une fois sur l'eau, bien assis dans son kayak de mer, on constate rapidement qu'il s'agit là d'une embarcation extrêmement stable et fiable. Plusieurs raisons expliquent ce phénomène, notamment ses dimensions, sa conception et le fait qu'on y est assis sous la ligne de flottaison. À titre de comparaison, dans un canot, les passagers sont assis au-dessus de l'eau, ce qui rend l'équilibre de l'embarcation passablement plus précaire. Le centre de gravité du kayak demeure donc très bas. La stabilité de l'embarcation s'accentue encore à l'ajout du poids de l'équipement et des bagages. La forme de la coque et la largeur du fond sont également des facteurs décisifs quant à sa stabilité et à sa vitesse.

Les kayaks plus courts procurent des accélérations plus rapides et des performances plus sportives dans les zones de surf, mais ils maintiennent difficilement le cap et peuvent avoir un comportement imprévisible sous le vent, dans la houle ou les clapotis. Le kayak de mer est conçu pour la navigation en mer ou sur les grands plans d'eau ainsi que pour les excursions de kayak-camping ou les expéditions. Sa largeur et la forme de la coque déterminent son niveau de stabilité ou sa capacité à reprendre la position droite après un mouvement.

On distingue essentiellement trois formes de coque : ronde, en U ou plate, et en V ou à bouchains vifs. Sur le site Internet *Québec Kayak*, on définit le bouchain comme

> *la ligne formée par la jonction du fond et des côtés du kayak. Plus l'angle de ces deux surfaces est marqué (abrupt), plus le bouchain sera vif. Avec un fond plat, le bouchain est très vif, près de 90 degrés. L'embarcation est parfaitement stable par mer d'huile (stabilité statique) mais tangue beaucoup trop dans les vagues, limitant même la gîte pour garder ainsi une assiette stable. À l'opposé, le bouchain peut s'adoucir jusqu'à donner une coque ovale ou ronde. La coque ronde est rapide, étant peu freinée par sa vague d'étrave, mais elle est plus instable. Un juste compromis permettra une bonne rapidité tout en gardant le kayak stable*

Voici les caractéristiques des différentes coques.

Coque en V ou à bouchains vifs
– forme traditionnelle ;
– bonne stabilité directionnelle et générale ;
– rapidité moins grande dans certains cas ;
– plus grande stabilité en mer agitée et, par conséquent, sentiment de sécurité accru ;

– position verticale maintenue sur une sur face inclinée.

Coque ronde
– moins de résistance dans l'eau, donc plus de vitesse ;
– bonne stabilité verticale* ;
– rapidité accrue*.

Coque en U ou plate
– grande stabilité en eau calme ;
– capacité de suivre l'inclinaison de la surface ;
– rapidité moindre ;
– bouchains adoucis = virages inclinés plus efficaces.

La stabilité d'un kayak de mer se définit à deux niveaux différents : stabilité primaire et stabilité secondaire. On ressent la stabilité primaire au moment d'embarquer dans le kayak ; c'est la première sensation de confort et d'assurance, ou le contraire, que l'on éprouve au repos. Quant à la stabilité secondaire, on la ressent lorsque le kayak est en mouvement dans les vagues ou lors d'un virage, lorsqu'il gîte. Elle est bonne si le bateau n'a pas tendance à poursuivre la rotation ni à se renverser quand il s'incline ; il aura alors plutôt tendance à revenir en position droite. Ces deux composantes de stabilité sont modifiées par le poids du pagayeur, la forme de la coque, la largeur du bateau et l'angle de gîte.

∿ Profondeur et confort

La profondeur d'un kayak définit l'espace de confort de l'habitacle. La hauteur du cockpit permet de bouger les jambes avec aisance et

---

* Une coque parfaitement ronde serait plus instable ; toutefois, les coques rondes modifiées des kayaks modernes allient vitesse et stabilité.

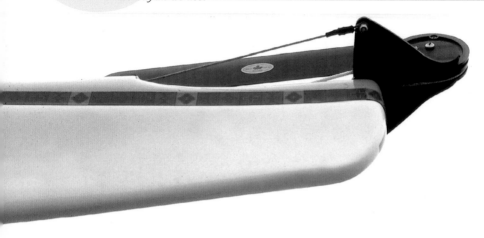

Le gouvernail rétractable

d'effectuer certains mouvements qui évitent au pagayeur de se sentir ankylosé après quelques heures de navigation. Les kayakistes plus expérimentés apprécient cependant un pont plus bas qui leur permet de bien appuyer les cuisses sur le haut de l'habitacle, sur les cale-cuisses, et de se sentir plus «en contrôle». Chez d'autres, cette sensation provoque une forme de claustrophobie ou le sentiment d'être à l'étroit, d'où l'importance d'essayer un kayak avant l'achat. La profondeur plus prononcée permet aussi l'installation d'un siège plus confortable dont le dossier sera plus haut.

La hauteur accroît naturellement la capacité de charge mais, en élevant la structure au-dessus de la ligne de flottaison, elle donne en contrepartie plus de prise au vent. L'effet du vent sur la manœuvrabilité sera d'autant accentué qu'on a l'habitude d'installer des équipements à portée de main sur la partie la plus haute du pont.

Autre conséquence non négligeable, la profondeur du kayak facilite grandement l'embarquement bien que, avec une bonne technique, on puisse assez facilement se glisser dans un cockpit plus bas. À ce sujet, il semble que la façon «classique» de monter à bord soit en perte de vitesse. On observe de plus en plus souvent des kayakistes qui embarquent en plaçant d'abord une jambe de chaque côté de l'hiloire, puis en laissant descendre l'arrière-train jusqu'au siège pour rentrer ensuite les jambes grâce à de très habiles contorsions. D'autres entrent debout dans le cockpit et s'assoient en tentant de contrôler l'instabilité du bateau. À notre point de vue, il n'y a qu'une façon de monter à bord d'un kayak en maîtrisant la stabilité de l'embarcation. Elle consiste à mettre la pagaie derrière soi et à s'en servir comme point d'appui. On saisit le rebord de l'hiloire et la pagaie d'une main ; de l'autre main, on tient la pagaie du côté de la rive. On s'abaisse alors en parallèle avec le kayak et en appuyant tout son poids sur la pagaie, ce qui garde l'embarcation parfaitement stable. On entre une jambe puis l'autre, et on termine ce gracieux ballet en portant son postérieur vers le siège. Disons que l'opération est plus facile à réaliser qu'à décrire !

∿ Gouvernail ou dérive ?

Le kayak se conduit à l'aide d'un gouvernail orienté par un système de cordage et de cale-pieds (pédales). On pousse à droite... Ça tourne à droite. Certains modèles d'inspiration européenne ne possèdent cependant pas de gouvernail ou sont équipés d'un stabilisateur ou encore d'une dérive qui peut être fixe ou à angle variable. On remarque d'ailleurs une demande grandissante pour ce genre de kayak dont le design diffère légèrement. Cette influence, en bonne partie originaire de l'Angleterre, on la trouve partout sur la côte est américaine, alors que sur la côte Ouest, on favorise largement l'utilisation du gouvernail. Les conditions de navigation spécifiques à chaque région influencent certainement ce choix ; par exemple, à l'est, l'environnement côtier est parsemé d'archipels, ce qui a pour effet de procurer une certaine protection aux kayakistes qui éprouvent moins le besoin d'un gouvernail. Par contre, au Québec, le milieu marin du Saint-Laurent nous fait subir des conditions difficiles de vague et de vent dans lesquelles bon nombre se sentent plus à l'aise avec un gouvernail.

Par ailleurs, la navigation avec dérive peut être plus exigeante physiquement, en particulier pour les articulations des épaules, en situation de vent dominant qui exige une correction de cap constante. Au Québec et au Canada, les kayakistes optent aussi très majoritairement pour le gouvernail, mais de plus en plus de navigateurs expérimentés préfèrent la dérive, qui exige une bonne maîtrise de la technique de virage en gîtant, surtout par temps venteux. Ce dernier appendice est fixé sous l'arrière de la coque alors que le gouvernail peut être remonté sur le pontage pour le transport ou au moment de traverser une zone peu profonde. Il est envoyé à l'eau grâce à l'action du système de cordage.

Appareil photo étanche et trépied fixé au kayak de l'auteur

La fabrication des kayaks

～ De quoi les kayaks modernes sont-ils faits ?

Le bois ou la toile ont été les principaux matériaux utilisés dans la fabrication des kayaks jusque dans les années 1950, alors qu'est apparue la fibre de verre. Pour ce qui est du plastique, la compagnie Chinook a été la première à introduire le rotomoulage en 1984.

Aujourd'hui, on utilise principalement deux types de matériaux dans la fabrication des kayaks de mer : le polyéthylène (plastique) et les matériaux composites, soit la fibre de verre, le kevlar® et la fibre de carbone. On voit parfois aussi des kayaks de bois assemblés en « kit » ou construits par de véritables artistes qui ont bâti des œuvres remarquables, souvent uniques. Finalement, quelques fabricants, principalement européens, proposent des kayaks gonflables ou en toile, qui comportent souvent des structures pliantes ou démontables afin de faciliter leur transport.

La toile

Les kayaks de toile, apparus au XIXᵉ siècle en Angleterre, ont eu plus d'importance qu'on pourrait le croire dans l'évolution moderne du kayak de mer. Notamment, les modèles démontables ont fait l'objet de recherches technologiques importantes en Allemagne lors de la Première Guerre mondiale. On comprend aisément les avantages militaires de cette petite embarcation légère, silencieuse et facilement transportable !

L'évolution du kayak contemporain s'est encore intensifiée durant le conflit mondial de 1939-1945 avec des modèles démontables en toile qui pouvaient facilement être parachutés ou permettre des avancées discrètes en territoire ennemi. Par la suite, ces

Kayaks en polyéthylène, Paradis Marin, Les Escoumins

Kayaks en fibre de verre, rivière des Mille Îles

embarcations ont continué à jouer un rôle militaire, mais elles ont surtout été adoptées par les explorateurs et les aventuriers, tant dans les régions arctiques que tropicales. Très proches du kayak inuit traditionnel, ces bateaux pliants demeurent fondamentalement faits d'une ossature de bois, d'aluminium et de polypropylène de haute densité, recouverte d'une peau de textile résistante et imperméabilisée, parfois enduite de caoutchouc ou de polychlorure de vinyle (PVC).

Certains modèles sont modifiables de une à deux et même à trois places, en plus de pouvoir accueillir une voile ou d'être ceints d'un boudin gonflable qui leur assure une stabilité remarquable ainsi qu'une capacité de chargement impressionnante.

Plastique ou fibre de verre ?

Quasiment indestructible, la matière plastique, ou polyéthylène, constitue une assurance de longévité considérable, pourvu qu'on respecte certaines conditions. Notamment, il faut remiser les embarcations à l'abri du soleil, avec un minimum de précautions, et veiller à ce qu'elles ne restent pas trop longtemps sous des températures ardentes ; lors de leur transport, il faut les installer sur les supports de manière qu'elles ne subissent pas de pressions indues et prolongées. Je possède des embarcations de polyéthylène qui se dirigent allègrement vers leur vingtième anniversaire ; bien qu'elles aient toujours passé l'hiver à l'extérieur, sous un abri sommaire, leur plastique est toujours souple, peu décoloré et non déformé.

Tous les propriétaires de kayaks de plastique vanteront la résistance de leur embarcation, que plusieurs assimilent même à celle d'un char d'assaut. En effet, dès que l'excitation de la nouveauté est passée, il

Kayak en bois latté, club Le Squall, Québec

nous prend l'envie d'accoster en faisant glisser le kayak sur la plage après lui avoir donné le plus d'élan possible... On se surprend même à le traîner sur le sol nonchalamment! Et lorsqu'on heurte un rocher immergé à fleur d'eau ou un haut-fond, on s'entend dire : «Heureusement qu'il ne s'agit pas de composite!» Le kayak en polyéthylène résiste donc aux chocs, bien que sa rigidité soit faible et qu'il glisse sur l'eau avec moins d'aisance qu'un congénère de composite. Autre avantage intéressant : son coût! Le prix d'un kayak de plastique peut être 50% moindre que celui d'un kayak de dimension comparable en fibre de verre, en raison du coût moindre de la matière première et de la fabrication.

Par contre, lorsqu'il s'agit de portager le kayak sur de bonnes distances, de le porter à l'eau quand il est chargé ou de le hisser sur le toit d'un véhicule, on goûte là au principal désavantage du polyéthylène : son poids! Il peut en effet peser une dizaine de kilos de plus que son parent en composite, ce qui n'est pas à dédaigner. Surtout dans le cas d'un biplace, il faut passablement de force de la part des kayakistes pour le bouger, même à vide. Et on ne parle pas de ce qu'il faut déployer comme stratégie et efforts pour le charger sur le toit de l'autocaravane!

~ De la conception au produit fini

On a rarement une idée juste des modes de fabrication industriels des kayaks de mer. Cela s'explique en partie par le recours à des technologies extrêmement évoluées et complexes qu'on a peine à imaginer. Afin de bien

Dessin assisté par ordinateur, Boréal Design

comprendre et d'illustrer ces façons de faire, nous nous sommes rendus dans les usines de l'un des principaux manufacturiers du Québec et du Canada : Boréal Design de Saint-Augustin-de-Desmaures, près de la ville de Québec. Créée par un couple de jeunes passionnés du kayak et du plein air, Nathalie Simard et Éric Blouin, cette entreprise compte deux modules de fabrication dans lesquels on moule et assemble des kayaks de composite (fibre de verre, kevlar et carbone) dans l'un et des kayaks de matière plastique dans l'autre.

Mais avant de prendre forme dans ces moules, les kayaks de mer sont d'abord conçus non pas en usine, mais autour d'une table. La conception débute en effet par un remue-méninges (*brain storming*) réunissant tous les spécialistes de l'entreprise, qui mettent en commun leurs expertises et discutent des besoins exprimés par les usagers ou des nouveaux marchés à combler. Ils définissent les caractéristiques du prochain modèle après avoir cerné précisément la clientèle cible et établi les données de base qui la séduiront : dimensions, recherche de stabilité et de vitesse, volume, équipement, couleurs, et autres.

À partir du cahier de charge qui réunit toutes les données théoriques, les responsables de la recherche et du développement prennent la relève et s'ingénient à traduire les idées choisies en concept informatique. Le kayak commence à prendre forme à l'écran par une ébauche de la coque inférieure et du pont. «Comment obtenir plus de stabilité avec peu de largeur ?» C'est à ce genre de questionnement que les concepteurs doivent répondre. À partir des premiers plans, ils pourront subséquemment calculer les niveaux de stabilité primaire et secondaire en comparant les résultats à partir de différents poids ; par exemple, ils envisageront dans l'embarcation un pagayeur de 120 kg qui a un chargement de 50 kg. La forme de la coque est optimisée des dizaines

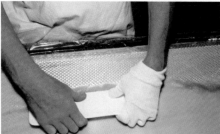

Gros plan, pose de la bande décorative et étandage sous vide de la résine, Boréal Design

de fois jusqu'à l'obtention d'un résultat concluant. Vient ensuite le volet confort avec la réalisation du pont ; on cherche alors le compromis ergonomique idéal qui permettra aux pagayeurs de différentes tailles d'être à l'aise et d'avoir des points d'appui solides.

Le fabricant réalise finalement le prototype, qui sera testé avant que soit enclenchée la production à l'aide du moule.

Les kayaks de composite

Qu'il s'agisse de fibre de verre, de kevlar ou de carbone, dans l'ordre décroissant de pesanteur, la technique de moulage des kayaks faits de matériaux composites demeure la même. Malgré cela, ces trois types de fibre réagissent différemment au moulage. Le kevlar s'avère moins dense que la fibre de verre, alors que la densité de la fibre de carbone est encore moindre que celle du kevlar. Et c'est, en partie, cette différence de densité qui occasionne des variations de poids.

Cela signifie aussi que, à densité égale, le kevlar et le carbone sont beaucoup plus rigides, mais plus fragiles. On pourra donc utiliser moins de tissu dans la fabrication d'un kayak de kevlar et de carbone, réduisant d'autant sa masse. Un kayak de fibre de verre recevra de deux à huit couches de tissu, selon l'exposition de certaines parties ; le kevlar nécessitera de deux à six couches, tandis que le carbone n'en aura que de deux à quatre.

La fibre établit la solidité de l'embarcation, et il est nécessaire de lui ajouter une résine liquide dans le but de lier toutes les couches. Cette résine, une fois durcie, est cependant plus cassante, ce qui accentue la fragilité du kayak. On comprend que la résistance de l'embarcation de composite dépende de la technique de moulage utilisée, surtout lorsque la quantité de résine est minimale.

Le moulage à la main exige que l'on mette la résine et la fibre simultanément dans le moule. On imbibe alors toute la surface et on se sert d'un outil pour éliminer les poches d'air. Malheureusement, cette technique demande des quantités plus grandes de résine et rend très difficile l'élimination des surplus. Mise au point plus récemment, la technique de laminage sous vide réduit considérablement la proportion de résine et assure une distribution optimale de la matière.

Voici le procédé : d'abord, on met la coque ou le pont sous une sorte de grand sac, puis on en retire l'air à l'aide d'une pompe. Tous les tissus ont précédemment été posés à sec dans le moule et recouverts d'une pellicule de nylon entourée d'un joint d'étanchéité. On injecte ensuite la quantité nécessaire de résine, et même un peu plus pour s'assurer que les endroits les plus difficiles à atteindre sont recouverts. Le vide créé permet à la pellicule de nylon de se coller parfaitement et de comprimer les tissus tout en répartissant la résine de façon uniforme. Puis on récupère l'excédent de résine, remonté à la surface par la force de la pression. On parvient ainsi à produire des kayaks dont la proportion fibre et résine passe de 50%-50% à 65%-35%. Ces normes générales peuvent toutefois varier d'un fabricant à un autre, selon la signature que celui-ci veut donner à l'embarcation qu'il vient de créer.

La fibre de verre représente la très grande partie du marché des composites. Le kevlar suit dans une proportion beaucoup moindre, alors que le carbone demeure marginal. Le facteur prix intervient fortement

Installation et découpage de la natte de fibre de verre, Boréal Design

dans ce choix puisque l'on peut observer une inflation importante du coût selon le matériau.

Pour l'ensemble des kayaks de composite, chaque unité est constituée de deux parties, la coque et le pont supérieur, qui sont usinées dans deux moules. On applique d'abord une cire à l'intérieur de ces moules, qui sont extrêmement lustrés après avoir reçu une finition au grain de sablage de calibre 2000. La cire a pour rôle de protéger le moule tout en empêchant la peinture de coller. Lorsque la cire est sèche, on dirige le moule vers l'atelier de peinture afin de pulvériser un enduit gélifié (*gel coat*) sur toute sa surface. Cette peinture, encore plus épaisse que la peinture marine, assurera l'étanchéité de la coque. Elle contient aussi des inhibiteurs qui neutraliseront les rayons ultraviolets puisque les fibres (surtout le kevlar) y sont très vulnérables (décoloration, perte de souplesse). Lorsque le niveau de séchage souhaité est obtenu, on retourne le

moule en production pour le recouvrir des couches de fibre. Le tissu qui recouvre le fond a la densité la plus grande et un tressage très fin. On utilise des toiles plus grossières pour les autres épaisseurs et on appose des renforts de kevlar dans les pointes, là où l'abrasion peut engendrer une usure accélérée.

Une fois que l'application des tissus est terminée, on recouvre le moule d'une pellicule de nylon et on l'entoure d'un joint d'étanchéité. On effectue ensuite un premier test pour confirmer que l'installation supporte bien l'action du vide, puis on réduit la pression pour procéder à l'injection de la résine au fond de l'embarcation. On augmente de nouveau la pression à un niveau moyen afin de pouvoir assurer manuellement l'imprégnation de la résine sur la totalité de la surface, en partant du bas vers le haut. Ensuite, on pousse la pression au maximum afin d'écraser littéralement le laminé tout en évacuant le surplus de résine. Cette opération finale ne dure que de cinq à huit minutes et précède la période de séchage qui, elle, nécessite quatre heures, après quoi on enlève la membrane de nylon, puis on démoule la coque ou le pont.

À cette étape, la pièce moulée demeure relativement fragile puisqu'elle n'a atteint que 95 % de sa rigidité maximale. Le processus de séchage ne sera complété qu'après plusieurs jours. Entre-temps, on peut quand même procéder à certains sablages qui favoriseront l'adhérence ultérieure des deux parties du kayak. On profite également de l'accessibilité aux compartiments intérieurs pour installer toute la visserie, les tubes dans lesquels passera le système de câblage ainsi que cette composante importante qu'est l'hiloire, qui a été fabriquée en même temps que le kayak, sur une autre chaîne de production. On colle par la suite une mousse sous l'endroit où les cuisses seront appuyées pour assurer un meilleur confort, mais aussi parce que l'on sait que hommes et femmes éprouvent, à différents niveaux, une allergie naturelle au contact de la fibre de verre.

La prochaine étape consiste à appliquer un adhésif marin sur le haut de chacune des coques, puis à les joindre. L'adhésif a la propriété de résister à l'eau salée et, comme il contient des fibres, il augmente la force de la coque en contribuant à rendre l'assemblage plus résistant aux impacts. Et comme il peut arriver, avec les années, que se produisent des infiltrations d'eau, on appose à l'intérieur un joint de fibre de verre qui va garantir l'étanchéité de l'embarcation à long terme. On pose même un joint à l'extérieur auquel on donne, du moins dans le cas de Boréal Design, également une vocation

esthétique puisque ce bandeau est un peu la marque de commerce de l'entreprise.

Enfin, on installe et on scelle les cloisons imperméables de composite qui délimiteront les compartiments du kayak ou ses chambres de flottaison. On laisse sécher le tout, puis on passe à l'étape de la finition, soit l'installation du siège et du pédalier, du gouvernail ou de la dérive, du cordage, des joints d'étanchéité sur les couvercles, qui sont également en composite et qui ont été moulés précédemment.

À l'inspection finale, on examine si le kayak est demeuré sans égratignure et sans défaut tout au long des 20 heures de sa fabrication, puis on effectue un dernier contrôle de qualité de toutes les composantes installées et on revérifie son étanchéité. Le kayak reçoit alors son numéro de série, puis il est pesé. Cette dernière pesée permet au fabricant de voir si son embarcation n'a rien en trop ou s'il lui manque quelque chose ; par exemple, seule la pesée permettra de vérifier si le kayak a bien reçu les cinq couches de fibres qui lui étaient destinées, et non pas seulement quatre. Le produit fini est emballé et expédié vers l'entrepôt d'un distributeur ou la salle de montre d'un commerce, où on pourra le voir briller de tout son lustre. Et là, bien en vue, il vous séduira par ses attraits irrésistibles. Surtout, il comblera vos attentes et deviendra le compagnon inséparable avec lequel vous ferez corps durant des années lors de dizaines d'aventures mémorables.

Le plastique, maintenant !

Sur le plan de l'ingénierie, la conception d'un kayak de polyéthylène peut sembler plus simple que celle d'un kayak en composite, mais elle ne laisse pas place à l'erreur. Les données du «comportement» qu'aura l'embarcation en cours de production doivent être évaluées mathématiquement de façon extrêmement précise puisqu'elles déterminent les dimensions exactes du moule, qui sera forcément construit avant la production du premier kayak.

Il s'agit donc d'abord de dessiner l'embarcation que l'on souhaite, ce qui constitue probablement la partie la plus aisée du travail. Ensuite, il faut calculer les proportions de ce qu'on appelle son retrait, c'est-à-dire son rétrécissement au moment du refroidissement. Cette évaluation théorique est d'autant plus compliquée qu'elle doit tenir compte du fait que la contraction de la matière ne se produit pas de manière égale dans la coque et le pont supérieur, où l'on trouve les formes de l'hiloire et les ouvertures des caissons. Le refroidissement va également affecter la configuration du

Poudre de polyéthylène, Boréal Design

kayak puisque le pont a tendance à «tirer» sur les extrémités en rapetissant. Ce sont là toutes des données qu'il faut maîtriser parfaitement avant d'aller en production.

Une fois le moule construit, on peut enfin entamer la production du kayak de plastique, qui diffère radicalement de celle des kayaks en composite. Au tout départ, le matériau de base et quasi unique se présente sous la forme d'une fine poudre de polyéthylène de haute densité, déjà colorée. Autre différence : au lieu d'utiliser des moules de fibre de verre, comme dans le cas des

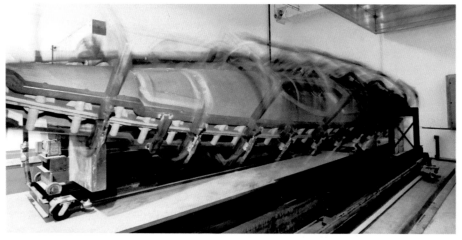

Moule de fonte, Boréal Design

kayaks de composite, on se sert d'immenses moules de fonte qui ressemblent un peu à des sarcophages. Ces réceptacles très épais sont conçus pour résister à une chaleur de 500 °C. Leur épaisseur doit d'ailleurs être constante de toutes parts pour que la chaleur se répartisse également. On comprend qu'ils valent une fortune et sont fabriqués uniquement par des fonderies spécialisées !

Ensuite, le moule de fonte est poli au point que l'on puisse s'y mirer. Au début du processus de moulage, on lui applique une couche de cire, non pas pour empêcher le produit final de coller aux parois, puisque le plastique adhère très peu, mais plutôt pour protéger la brillance de la surface du moule et éviter que des porosités s'impriment sur le kayak. Une fois que la cire a séché, le spécialiste (qui est le seul à intervenir du début à la fin du moulage) étend la poudre de polyéthylène d'un bout à l'autre du fond de la section inférieure du moule. Si le kayak en production est de couleur uniforme, il ne versera qu'une teinte de poudre. S'il veut créer des dégradés, des nuances ou des démarcations, il utilisera plutôt des poudres de différentes couleurs, qu'il distribuera savamment dans le fond du moule.

La poudre de polyéthylène qu'utilisent la plupart des fabricants est aujourd'hui d'une qualité inégalée qui assure à l'embarcation à la fois flexibilité et rigidité, en plus de la protéger efficacement contre les rayons ultraviolets. Plus question de décoloration, de durcissement ni de déformation avec ces plastiques à mémoire qui reprennent leur forme !

L'étape suivante consiste à joindre les deux parties du moule et à les sceller hermétiquement. La technique utilisée par Boréal Design fait appel à des équipements particuliers conçus sur place, dont un four géant doté d'une porte détachable munie du moteur qui fait tourner le moule telle une broche dans une rôtissoire. Tout le moule est relié en permanence à la porte ; l'ensemble de ces composantes se déplace sur un chariot du plancher de l'usine jusqu'au four et vice-versa.

Lorsque le moule est prêt, on l'introduit dans le four resté ouvert et l'on referme la porte en la scellant. Le brûleur au gaz naturel est allumé et la température grimpe à 400 °C alors que le moule amorce sa rotation. Le nerf de la guerre consiste à maintenir cette température constante dans le four, en particulier dans les extrémités où le moule occupe moins d'espace. La poudre commence alors à se liquéfier et la force centrifuge distribue le plastique en mouvement tout autour du moule, ce qui permet d'obtenir un produit final creux comme un lapin en chocolat.

Afin de maximiser la distribution de la matière première dans le moule, on installe le four sur un pivot qui le fait tanguer. Ce mouvement s'ajoute à la rotation du moule sur lui-même. D'ailleurs, chaque modèle de kayak de plastique est fabriqué à partir d'un programme informatique qui lui est propre et qui gère la cadence simultanée du roulis et du tangage. Au bout de 45 minutes approximativement, lorsque la température maximale est atteinte, on retire la porte avec son moule et on l'installe sous une hotte immense qui favorise le refroidissement progressif. Le roulis du moule se poursuit encore durant 45 minutes afin d'éviter que les parois du kayak ne s'affaissent. La matière se solidifie lentement à mesure que la température s'abaisse. La durée et la tempé-

Nettoyage du moule de fonte, Boréal Design

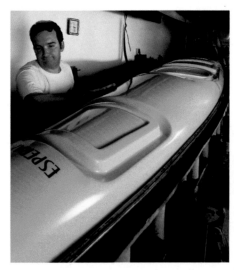

Démoulage d'un kayak en polyéthylène et sablage de finition d'un kayak en fibre de verre. Boréal Design

rature de la cuisson varient sensiblement selon la taille du kayak, et même selon sa couleur puisque les pigments foncés absorbent plus de chaleur que les pigments pâles.

Le temps venu, on procède à l'ouverture du moule. Il s'agit d'un moment des plus impressionnants pour les novices. On ressent alors toute la chaleur du moule et du polyéthylène, qui respire enfin mais qui reste relativement mou. Il se dégage une forte odeur de plastique qui est loin d'être désagréable dans ce contexte. Sous l'influence du choc thermique, le kayak rapetisse devant nos yeux minute après minute et se distance des parois de quelques centimètres. Il rétrécit ostensiblement en largeur mais un peu moins en longueur. L'artisan de cette pièce la retire du moule avec infiniment de précautions et la dépose, encore chaude, sur un conformateur où il va découper les ouvertures avec dextérité et procéder au perçage. Il lui restera à enlever le joint du moule avant d'installer la visserie et les cloisons de mousse de haute densité. Il achèvera son œuvre en posant le siège, le gouvernail et les équipements. Une fois l'inspection de qualité concluante, le kayak est prêt à s'élancer sur la mer, les rivières ou les lacs.

Toutes les étapes de la production d'un kayak de plastique se déroulent beaucoup plus rapidement que dans le cas des modèles en composite, principalement parce qu'il est monocoque et ne requiert pas l'étape de l'assemblage de la coque et du pont. Cette économie de main-d'œuvre influe directement sur le prix de l'embarcation. Il s'agit du facteur le plus déterminant, avant le coût des matériaux qui est quand même plus élevé dans le cas des composites. C'est ce qui explique que la différence de prix entre un kayak de plastique et un autre de même dimension en composite puisse parfois aller du simple au double.

Parc du Cap-Jaseux, Saint-Fulgence, fjord du Saguenay
Pages suivantes : Sur les plages sans fin du Sandy Hook, Îles-de-la-Madeleine

L'ÉQUIPEMENT

L'équipement de navigation
Transport et entreposage
Kayak et camping

L'équipement de navigation

 La pagaie

La pagaie, c'est le moteur du kayak de mer. Bien que son énergie motrice provienne du kayakiste et que son efficacité dans la propulsion soit considérablement influencée par l'embarcation elle-même, elle demeure la donnée centrale et, curieusement, la plus mésestimée.

Pour bien choisir cette pièce d'équipement, il faut tenir compte de plusieurs éléments – le ou les matériaux utilisés dans la confection, les dimensions et la forme –, car ils déterminent son hydrodynamisme mais aussi son poids, un facteur primordial pour les voyages au long cours. Effectivement, les kayakistes qui ont quelques années de pratique derrière eux se souviennent de ces lourds gréements d'aluminium et de plastique qui venaient à bout des épaules les plus robustes et engendraient les tendinites les plus douloureuses. Serge Théoret, un spécialiste de longue date du canot et du kayak qui a étudié le sujet avec une minutie remarquable, présente à juste titre la pagaie comme l'élément le plus important de l'équipement, incluant celui du kayak de mer. On peut reprocher bien des petits défauts à nos embarcations... «mais si notre pagaie nous fatigue et nous fait souffrir à chaque coup, dit-il, nous regretterons à chaque sortie des milliers de fois d'avoir voulu économiser».

Les matériaux
On utilise une grande variété de matériaux dans la fabrication des pagaies. L'un d'eux peut constituer l'unique composante mais, le plus souvent, on opte pour un assemblage de deux ou trois matières. Ces matériaux sont:

– l'aluminium, généralement en combinaison avec le plastique (pour les pales). On trouve parfois des pagaies de ce type en location ou dans des ensembles «tout compris» en boutique. Sauf exception, on passe rapidement à autre chose à cause de leur poids et de l'inconfort qu'elles provoquent;

– l'alliage pales de plastique et manche de fibre de verre, qui améliore grandement les données par rapport à l'aluminium;

– le bois, qui donne parfois de véritables œuvres d'art auxquelles s'attachent beau-

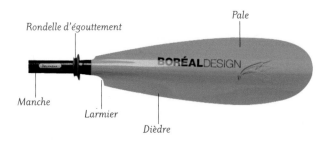

Rondelle d'égouttement

Pale

BORÉALDESIGN

Manche

Larmier

Dièdre

Page 50 : Escale à Sainte-Rose-du-Nord, fjord du Saguenay

coup les propriétaires. Le poids de ces pagaies ne semble pas incommodant, mais leur préservation demande plus d'attention et leur rigidité est moindre ;

– la fibre de verre, qui apparaît comme un choix économique et satisfaisant pour ce qui est du poids, de la rigidité, de la solidité, de la durabilité et de l'équilibre ;

– le graphite, que je vous conseille de ne pas essayer si vous n'avez pas les moyens de vous l'offrir. Vous serez malheureux jusqu'à ce que les membres de votre famille s'unissent pour vous faire ce cadeau à Noël ! Alliant divinement légèreté et rigidité, la pagaie de graphite nous donne l'impression de ne rien avoir dans les mains, réduisant considérablement l'effort et la fatigue. Son coût reste le seul élément dissuasif puisqu'elle se vend approximativement entre 300 $ et 450 $, selon ses dimensions et son design. À ce prix, il faut prendre grand soin de son rangement sur la plage ou lors des pauses puisqu'elle a la fâcheuse tendance de se laisser emporter par le vent.

Le poids

Voici, à titre indicatif, le poids des pagaies offertes sur le marché. Il s'agit, bien sûr, de moyennes comparatives :

– aluminium et plastique : 1,53 kg ;
– fibre de verre et plastique : 1,19 kg ;
– bois : 1,02 kg ;
– fibre de verre : 0,90 kg ;
– graphite : 0,62 kg.

À noter que les pagaies ergonomiques sont un peu plus lourdes que les pagaies droites.

La forme

Certains fabricants proposent deux options quant à la grosseur du manche. La juste mesure est celle qui laisse environ 1 cm de distance entre le bout des doigts et la paume de la main lorsque l'emprise est refermée sur le manche.

Pour ce qui est des pales, les fabricants offrent aussi deux formats : l'un étroit et allongé, l'autre plus court et plus large ; les deux options couvrent différentes superficies. Les pagayeurs qui aiment soutenir une cadence accélérée préfèrent le modèle étroit, qui n'entraîne pas forcément une perte de vitesse tout en exigeant moins d'effort musculaire. La pagaie groenlandaise incarne la version extrême de la pagaie étroite puisqu'elle affiche une largeur maximale de 10 cm. Issue de la tradition inuite séculaire, elle se présente maintenant dans une version haute technologie, monopièce et droite ; elle exige une technique particulière, mais donne des résultats étonnants. Toutefois, plus on privilégie la puissance et l'endurance, plus on ira vers la pale de grande surface : bien qu'elle demande plus d'efforts, elle offre une force de propulsion brute accrue.

En ce qui concerne la longueur de la pagaie, on doit prendre en compte toutes les données de la dimension du kayak avant de considérer la grandeur du kayakiste. Pour une embarcation moyenne et un kayakiste moyen, on peut songer à une pagaie de 230 cm. Cette longueur raccourcit à 225 cm et même à 220 cm pour des performances plus sportives.

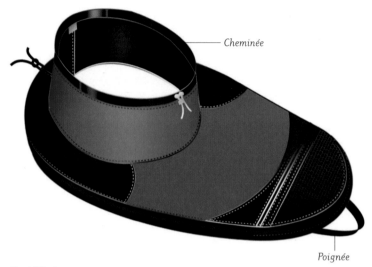

Cheminée

Poignée

Jupette, Boréal Design

Côté confection, la pièce unique est-elle préférable aux deux pièces ? Tout dépend de ce que l'on recherche. Même si la pagaie en une pièce offre des qualités notoires quant à la robustesse et au poids, il semble qu'elle ne convainque plus la majorité des kayakistes, de plus en plus séduits par la pagaie démontable (en deux pièces) pour sa facilité de rangement et de transport.

L'angle des pales, qui peut jouer de 45 à 90 degrés, sert à réduire la résistance au vent, un facteur très appréciable lorsque Éole se met à souffler avec insistance. Il existe d'ailleurs des cordons élastiques pour retenir la pagaie au kayak si jamais le vent nous l'arrache des mains ou si l'on chavire.

≈ La jupette

Descendante contemporaine de la combinaison esquimaude (*tulik*), la jupette sert à fermer l'ouverture de l'hiloire de façon étanche.

Le kayakiste l'endosse comme une jupe, d'où son nom, et l'insère autour du rebord de l'hiloire après l'avoir resserrée autour de sa taille.

Au début, cette pièce d'équipement était surtout faite de néoprène, un matériau souple qui sert aussi à la fabrication de vêtements isothermiques et qui a la propriété de s'adapter parfaitement à la forme de l'hiloire. Maintenant, on trouve sur le marché des jupettes de nylon imprégné ; elles sont plus légères et offrent divers degrés de rigidité. Toutefois, comme elles ne demeurent pas parfaitement tendues autour du kayakiste, il s'y forme des replis plus ou moins importants dans lesquels l'eau s'accumule. Une poignée, placée à l'avant de la jupette, nous permet de l'enlever facilement, voire de l'arracher en cas d'urgence.

～ La veste de pagaie

Tout aussi essentielle que la jupette, la veste de pagaie remplace le coupe-vent ou la veste isothermique de néoprène parce qu'elle est mieux adaptée aux mouvements du pagayeur. Le vêtement imperméable est également plus facile à supporter par temps chaud et très efficace par temps froid.

Les premiers modèles, doublés en Gore Tex®, étaient parfois faits de nylon trop rigide et s'avéraient souvent inconfortables. Certains fabricants ont depuis mis au point des vestes incroyablement souples et remarquablement étanches au cou, au poignet et à la taille en utilisant un caoutchouc extensible et des méthodes d'ajustement efficaces. Les modèles les plus évolués comportent même un repli à la taille, qui permet d'installer le haut de la jupette entre la bande étanche et le corps du vêtement.

～ Le vêtement de flottaison individuel (VFI)

Comme c'est le cas dans toute embarcation, il faut compter une veste de flottaison par passager à bord d'un kayak. Et l'attitude la plus intelligente consiste à la porter !

Le vêtement de flottaison individuel doit être approuvé par Transports Canada. Il est fait d'une enveloppe de nylon recouvrant des sections de mousse à cellules fermées et est souvent doté de poches en filet qui permettent de ranger un sifflet, une radio, un téléphone ou des dispositifs de sécurité. Le kayakiste doit choisir sa veste de flottaison en fonction de sa taille et son poids. Heureusement, depuis que de nombreux modèles s'adressent aux adeptes du kayak, on n'a plus à subir les désagréments nombreux des gilets de pêcheurs à taille basse qui remontent sous le menton et dans le cou en irritant les aisselles !

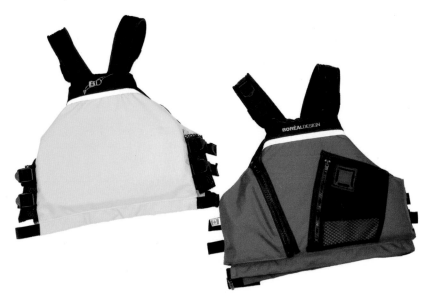

Le vêtement de flottaison individuel (VFI) dos et avant, Boréal Design

La voile dans sa version rudimentaire

~ La voile

Nombreux sont ceux qui ont pensé à installer une voile sur leur kayak. De la chemise posée sur des branches croisées jusqu'à la très belle voile chinoise adaptée aux kayaks démontables, on a tout vu dans ce domaine. Certains modèles ont été commercialisés au fil des années, mais il y avait encore place pour l'amélioration... jusqu'à tout récemment, semble-t-il.

Ainsi, le kayak de mer a titillé l'imagination de certains inventeurs, dont Sabin Tremblay, un concepteur d'équipements industriels qui consacre également son génie inventif au plein air, plus spécialement au kayak de mer. Ce type de personnalité ne fait jamais les choses à moitié. Alors que nous campions sur les rives sablonneuses de la Pointe-Taillon, au lac Saint-Jean, il avait

remarqué la difficulté à fixer la bâche dans ce genre de terrain. La semaine suivante, il avait usiné des piquets géants en aluminium, légers et de forme carrée afin qu'ils ne tournent pas dans le sable. Peu après, il inventait un nouveau concept de bâche qui peut se transformer en tente ou en chapiteau. Il nous est aussi arrivé avec une grille de cuisson extraordinaire, qu'on peut rouler et transporter proprement en kayak dans un tube. Et ce ne sont là que quelques exemples de ses trouvailles !

L'achèvement de son œuvre kayakiste tient toutefois en une voile révolutionnaire qu'il a imaginée alors que des problèmes musculaires l'empêchaient de pagayer à son aise. Tranquille au fond d'une baie, immobilisé par le mauvais temps, il a transformé un sac de bagages en voile artisanale pour voir à quel point cet équipement le soulagerait physiquement tout en facilitant la navigation. La nécessité n'est-elle pas la mère de l'invention? «J'ai constaté que la voile travaillait efficacement lorsque la toile avait une certaine superficie et que le kayak, qui était alors en mode traction plutôt que propulsion, s'avérait très stable.»

L'idée a fait des petits: Sabin a ensuite pensé à utiliser sa pagaie de la même façon que l'arceau d'une planche à voile, puis il a élaboré le concept de cadre parabolique rétractable en utilisant des piquets jaunes en fibre de verre qui servent à délimiter les terrains pour le déneigement. Un système de poulie permet d'ouvrir et de bander la voile en quelques secondes. Une fois celle-ci déployée, Sabin pose sa pagaie en travers de la voile dans des supports installés sur les

Kayak sous voile, devant la cathédrale de Chicoutimi

rebords à hauteur d'épaule. La voile n'étant pas fixe, il peut l'incliner ou la tourner pour aller chercher le vent ou se diriger, un peu comme sur une planche à voile. Et lorsqu'un problème survient ou qu'il veut reprendre la navigation «à bras», il décroche sa pagaie en la soulevant et, en un éclair, la voile se referme pour tomber sur le pont.

Sabin a essayé son dispositif lors des expéditions annuelles qu'il réalise chaque été avec son copain de kayak, Patrice, et ça marche! Depuis, il a fait part de son invention à un manufacturier québécois. Pour certains kayakistes, il s'agit d'un jouet ou d'un outil de paresseux; pour d'autres, d'un équipement sportif ou d'un ajout qui permet de se sortir en toute sécurité de certaines situations fâcheuses.

Sabin a également conçu des maisons dans les arbres et bien d'autres œuvres qu'il nous fait découvrir chaque fois que nous avons le plaisir de kayaker ensemble. C'est ça, un inventeur kayakiste... Une goutte de folie! Un lac de passion! Une mer de génie!

Voile conçue par Sabin Tremblay

Transport et entreposage

∼ Le support à kayak

Transporter son kayak sur le toit d'une auto constitue une opération relativement simple... à condition d'utiliser l'équipement approprié et de ne pas avoir un véhicule qui sorte des normes. Plusieurs compagnies proposent une multitude d'équipements de plus en plus pratiques, polyvalents et adaptés à tous les véhicules, sauf aux fourgonnettes qui dépassent une certaine hauteur. Toutefois, même les meilleurs supports peuvent endommager les kayaks lorsqu'ils sont mal utilisés, que les courroies sont trop serrées et les barres, trop rapprochées.

Pour être efficaces, les supports doivent nous permettre de glisser aisément les kayaks sur la voiture ou le véhicule utilitaire, de les immobiliser fixement et de les attacher convenablement (de préférence autour des divisions des compartiments intérieurs pour éviter de les déformer). Sur une petite voiture, l'utilisation de courroies aux extrémités du bateau s'avère utile, mais il faut à peine les tendre afin qu'elles n'exercent pas de pressions indues au centre du kayak. Il est également préférable de fermer l'ouverture du kayak à l'aide d'un couvre-hiloire pour empêcher la pluie d'y pénétrer, car l'eau peut l'alourdir et ainsi le déstabiliser.

Support fixé au toit de fibre de verre permettant l'extension sans démonter les kayaks

Les vraies vacances.

Ingéniosité aérodynamique

Pour le reste, je souhaite que les manufacturiers de supports s'intéresseront un jour aux propriétaires de véhicules récréatifs qui doivent déployer des trésors d'ingéniosité afin de hisser leurs embarcations sur la toiture. Il y a une dizaine d'années, nous avons suivi l'exemple de notre copain Pierre Beaudoin : il avait fait bricoler des fers d'angle, qu'il avait installés sur le rebord du toit ouvrant de son Westfalia dans le but d'y monter un support à kayak. L'idée s'est répandue comme une traînée de poudre et, depuis, on ne compte plus les toits qui s'ouvrent sur un ou deux kayaks, semblables à des fusées prêtes à être lancées. Aucun fabricant de véhicules récréatifs n'approuve cette pratique, naturellement. Chose certaine, monter des kayaks sur ces hauts véhicules est un défi à l'entendement et à la sécurité. Mais a-t-on le choix de le relever ? Pour ma part, j'attends le jour où l'on me proposera un support magique qui permettra de grimper deux kayaks et de les attacher sans effort à trois mètres du sol !

～ L'entreposage hivernal

Sous nos climats rigoureux, l'entreposage d'un kayak de mer s'avère parfois complexe, d'abord pour des raisons d'espace, mais aussi parce que personne ne souhaite le retrouver au printemps endommagé par les rigueurs de l'hiver. Les plus chanceux disposent d'un entrepôt, d'un garage ou d'un sous-sol suffisamment spacieux pour lui assurer des conditions parfaites pendant ces quelques mois. En ce qui me concerne, mes kayaks ont toujours passé l'hiver dehors, sous un abri protégé mais ouvert. Ils évitent ainsi le poids de la neige ainsi que l'exposition directe au soleil. Surtout, ils sont soutenus à l'aide de courroies, sur toute leur longueur afin de ne pas se déformer. Depuis plus de 15 ans, mes kayaks de plastique hivernent de cette façon et ils n'en ont jamais été affectés.

Voici quelques conseils de base pour bien préparer votre kayak à l'hiver* :

– Vérifiez la visserie et, au besoin, changez les joints d'étanchéité (*o-ring*) désuets.

---

* Source : Site Internet de Boréal Design

Camping Le Paradis Marin, Les Escoumins, Côte-Nord

– Rincez la coque, les sangles, les élastiques, le système de dérive ou de gouvernail ainsi que les câbles, les glissières et les pédales pour les dégager du sel et du sable. Utilisez un détergent doux pour enlever les saletés.

– Des saletés (grains de sable) sur les joints des couvercles peuvent en diminuer l'étanchéité. Nettoyez le caoutchouc avec une solution savonneuse. Lorsqu'il est bien sec, appliquez le protecteur 303 afin de conserver sa souplesse. Ouvrez les couvercles pendant l'entreposage afin de ne pas comprimer les joints de caoutchouc pendant plusieurs mois.

– Pour protéger la coque des rayons ultraviolets, appliquez un liquide protecteur (protecteur 303, par exemple) ou une cire anti-UV. Assurez-vous que votre kayak sera complètement ombragé s'il passe l'hiver dehors.

– Si votre embarcation est en composite, retouchez les endroits usés (où la fibre apparaît) avec un peu de peinture (*gel coat*) de couleur assortie.

– Si vous entreposez votre kayak dans un sac fermé, attendez qu'il soit bien sec avant de l'y glisser ; vous pourrez ainsi éviter les décolorations.

– Si possible, entreposez votre kayak dans un endroit sec et aéré. Prenez soin de ne pas le ranger près d'une source de chaleur.

– Évitez les accumulations de neige ou de glace sur les embarcations pendant l'entreposage. Au froid, le plastique devient cassant ; protégez-le donc contre les chocs.

– Si possible, soutenez votre embarcation à l'aide de courroies installées vis-à-vis des cloisons des compartiments avant et arrière. Ne suspendez pas votre kayak par les poignées.

Kayak et camping

Il n'est rien de plus agréable que de s'évader plusieurs jours à l'aventure en kayak-camping. Cette embarcation, essentiellement développée pour l'excursion, l'expédition et le long parcours près des côtes, est conçue pour ce genre d'activité. C'est un bonheur – surtout si on le partage avec des amis – qui s'étire jour après jour, tant en cours de navigation que durant les inoubliables soirées au campement. Mais il ne faut pas négliger les joies des préparatifs, qui s'étalent habituellement sur une plus longue période que l'excursion elle-même.

Avec une bonne préparation, on peut partir de trois à cinq jours dans deux kayaks de dimension appropriée et voyager en parfaite autonomie... à condition, évidemment, de disposer de l'équipement de camping le plus compact et le plus léger possible et des vêtements nécessaires (voir l'aide-mémoire à la page 74).

Tente, matelas de sol, sacs de couchage, bâche, vêtements pour toutes les situations (pluie, beau temps, temps froid, temps chaud), trousse de toilette, accessoires de sécurité, pagaie de secours, gamelle, brûleur, nourriture, eau et quelques gâteries ou accessoires assurant un meilleur confort, on s'étonne de tout ce qui peut entrer dans les compartiments étanches des kayaks de mer et même, souvent, être stocké sur le pont. Surtout si l'on a pris soin de préparer tous les menus à l'avance en disposant la mesure exacte de chaque ingrédient composant chacun des mets dans un contenant individuel ou un sac étanche, disposé ensuite dans un autre sac plus grand qui contient la totalité de ce dont on a besoin pour le repas. Le garde-manger, qui peut être un sac au sec, contient donc tous les ingrédients secs ou en conserve de chaque repas enveloppés individuellement et clairement identifiés : «jour 2/souper», «jour 3/petit-déjeuner», par exemple.

Question d'équilibre, il faut porter une attention toute particulière à la disposition de tout ce matériel afin de bien répartir le poids, de ne pas compromettre la flottabilité

Camping des îlets Rouges, fjord du Saguenay

et de ne pas dépasser les charges maximales définies par les fabricants.

À voyager à travers le Québec, on réalise aussi que ce ne sont pas toutes les régions qui se prêtent aux excursions prolongées. En réalité, il n'y a vraiment que le fjord du Saguenay et la Minganie qui soient bien équipés et parfaitement propices aux sorties de plusieurs jours. Cela ne veut pas dire qu'il soit impossible de réaliser des excursions ailleurs. Plusieurs grands lacs ainsi que de nombreux parcs nationaux, comme le Parc national de Canada de la Mauricie ou le Parc national d'Aiguebelle en Abitibi, se prêtent tout à fait au kayak-camping. Quelques pourvoyeurs commencent aussi à explorer et à exploiter différents territoires, en particulier Charlevoix et les Îles-de-la-Madeleine.

Et, grand changement en perspective, le concept des sentiers maritimes sur les rives nord et sud du Saint-Laurent va certainement contribuer au développement du kayak-camping d'un bout à l'autre de cette voie maritime, en définissant des circuits et en répertoriant tous les endroits où il est possible et permis de s'arrêter et de camper.

Transport des rafraîchissements

~ La bouffe

Voilà l'élément numéro un de toute excursion en kayak de mer. Du moins à nos yeux d'épicuriens impénitents. Pas question pour nous d'aliments déshydratés et de bol de chiens. On sait bien qu'il s'en trouve pour ne jurer que par tous ces trucs qu'ils font sécher dans leur four, mais nous ne les fréquentons pas !

La cuisine que nous préconisons en kayak-camping se rapproche le plus possible de la gastronomie. Elle compte habituellement quatre services : entrée, potage, plat principal et dessert. Elle s'accompagne souvent d'une sélection d'excellents fromages, de moules, de saumon, d'esturgeon, d'anguille ou d'huîtres fumées, de foie gras ou de tous ces merveilleux fruits de mer qu'on trouve en conserve. Évidemment, cela va de soi, le bon vin ne saurait être absent de ces agapes.

Lors d'une excursion de cinq jours, nous mangeons des produits frais les trois premiers jours grâce à des glacières bien dimensionnées pour le kayak. Nous passons ensuite aux pâtes alimentaires ou à tout ce que l'imagination et la créativité nous suggèrent.

Le repas partagé sous la bâche a normalement commencé à mijoter dans les esprits bien avant d'être consommé. Quelque temps avant le départ, il peut même avoir suscité une émulation au sein du groupe si ses membres ont décidé de se relayer au jour le jour dans la préparation des plats en tentant de se surpasser mutuellement. Cette approche est née avec le Nouveau Monde, plus particulièrement avec l'Acadie il y a plus de quatre siècles. Elle a été implantée en terre

Escale repas, baie Éternité, fjord du Saguenay

d'Amérique par Samuel de Champlain lors de son deuxième hivernement dans les Maritimes, alors qu'il a créé l'Ordre de Bon Temps. Tous les hivernants, autochtones ou Européens, devaient préparer le souper tour à tour en rivalisant d'originalité. Résultat : un hiver extraordinaire, sans scorbut et sans décès. C'est ce même principe que nous appliquons encore aujourd'hui en plein air.

Heureusement, de nombreux pourvoyeurs ont adopté cette philosophie culinaire. Ils arrivent ainsi à éblouir leur clientèle par des menus étonnants et d'une grande qualité, incluant souvent des produits régionaux savoureux.

Plus sérieusement, la qualité, la diversité et l'organisation de l'alimentation en kayak-camping, comme dans toutes les activités de plein air, revêt une importance déterminante dans la réussite d'une excursion de groupe. Au terme d'une journée de kayak et de plusieurs heures d'efforts physiques, d'introspection personnelle, d'émerveillement ou de contrariété, selon la température, le rituel du repas constitue la seule activité au programme de la soirée une fois que le campement est monté. Surtout, en participant aux préparatifs du souper, chaque membre du groupe s'intègre à la dynamique qu'il importe de créer en camping, et le leadership s'impose de façon naturelle dans l'équipe. C'est une question de plaisir, d'harmonie et d'ambiance amicale.

Effectivement, on a beau naviguer en groupe, et même en biplace, on est à peu près toujours seul avec soi-même lorsqu'on voyage en kayak de mer. La préparation collective du repas et la célébration culinaire qui s'ensuit favorisent l'établissement de

liens d'entraide et d'amitié ainsi qu'une prise de conscience fondamentale du rôle individuel dans l'achèvement et la réussite d'une activité de groupe, comme l'ont démontré les recherches de Mario Bilodeau, du Programme d'études en plein air et en tourisme de l'Université du Québec à Chicoutimi.

~ Le sac au sec

Pour les besoins des amateurs de loisirs nautiques en particulier, les fabricants d'équipements ont conçu des sacs au sec qui peuvent s'avérer très pratiques. Comme on en trouve de toutes les dimensions et de toutes les formes, ils ont l'avantage de pouvoir être logés à peu près n'importe où dans une embarcation. Ils disposent aussi de mécanismes de fermeture qui garantissent leur herméticité.

Étant donné qu'ils sont généralement assez dispendieux et qu'ils n'ont pas la résistance nécessaire pour le transport des contenants rigides, ces sacs au sec sont habituellement réservés aux aliments et aux

Sac au sec

Pages précédentes : Sur la plage du Parc du Cap-Jaseux, fjord du Saguenay

Petit-déjeuner sous la bâche, camping des îlets Rouges, fjord du Saguenay

vêtements que l'on veut protéger de l'eau. Lors d'une longue sortie, il en faut au moins autant que l'excursion compte de jours, ce qui implique des coûts considérables.

～ La bâche, une cuisine portative

Installée solidement en quelques minutes, la bâche abrite tout le matériel de la pluie ou du soleil. Elle protège aussi les membres du groupe de l'orage qui menace, du coup de vent que l'on sent venir ou de la chaleur torride qui écrase. La tente sera montée en bordure d'une ouverture de la bâche qui deviendra à la fois lieu d'entreposage, cuisine et salle à manger.

Quand on commence à inclure la bâche dans l'équipement de camping, elle devient vite indispensable, à un point tel qu'on envisage difficilement un séjour en nature sans elle. Il y a la bâche conventionnelle – une toile à œillets métalliques dont on se sert pour abriter toutes sortes d'équipements ou de véhicules et qu'on adapte parfois maladroitement au camping ; il y a aussi l'abri moustiquaire – une bâche qui sied très bien aux campeurs sédentaires mais qui se prête mal au camping sauvage ; il y a enfin la bâche spécialement adaptée aux exigences des amateurs de plein air – un abri efficace, compact, léger et facilement aménageable.

La bâche de plein air est une grande toile de nylon imperméabilisée de 200 deniers d'épaisseur ; faite de trois pièces, elle peut avoir une envergure de 4,5 m² (4,5 kg) ou de 3 m² (2,3 kg). Elle est ceinturée de 12 œillets

extérieurs, en tissu, qui sont doublés de prises de matière plastique pour assurer un ancrage sans faille. En son centre, un renforcement de tissu permet d'appuyer la toile sur un pilier central. Le tout entre dans une poche de la dimension d'un sac de couchage moyen.

Monter une bâche de plein air est à la fois une science et une création puisque l'exercice fait appel tant aux ressources du milieu qu'à l'imagination. Au départ, on n'a besoin d'aucun matériel spécifique pour ériger la bâche, sinon une hachette et du cordage. Deux piquets de 2 à 3 m et trois autres plus courts, ramassés dans les alentours, suffisent à bien ancrer la bâche au sol, à la soulever en son milieu et à dégager un accès à l'avant.

En forêt, c'est encore plus simple puisque ce sont les arbres qui s'avèrent les meilleurs ancrages, permettant alors de monter ou de descendre chaque coin à volonté pour donner à la bâche les formes les plus imprévisibles. Il en est de même de l'entrée que l'on peut ouvrir ou fermer selon les vents ou les autres facteurs météorologiques. À l'intérieur, il est possible de se tenir debout au centre ou accroupi, voire couché, plus au bord. En plaçant les bagages à l'intérieur tout autour, on coupe le vent et on transforme presque la bâche en tente. On y fait la cuisine sans problème et on s'y abrite pour manger confortablement. On peut aussi placer l'accès principal de la tente à l'abri, ce qui permettra de sortir et d'entrer en restant au sec. En camping aménagé, la bâche peut même très bien servir d'abri pour la table à pique-nique, la nourriture et tout l'équipement de cuisson.

Monter la bâche est une science et un acte de créativité

Aide-mémoire

Pour vous aider à préparer vos excursions de kayak-camping, nous vous suggérons cet aide-mémoire, tiré du site www.kayakdemer.net.

- Bas
- Sous-vêtements
- Pantalons court et long
- T-shirts
- Chandails manches longues et courtes (fibres synthétiques)
- Bonnet de laine
- Chapeau ou casquette
- Chandail coton-polyester/laine polaire
- Chaussures ou sandales pour le kayak
- Chaussures sèches
- Mitaines ou gants
- Anorak/imper/coupe-vent

- Tente
- Bâche + poteau/cordes/piquets
- Tapis de sol
- Sac de couchage/oreiller de camping
- Réchaud + combustible
- Briquet de camping
- Allumettes dans un contenant étanche
- Bougies ou fanal
- Chaudron/gamelle + pince
- Cafetière
- Gourde ou chameau
- Outil multifonction
- Bouffe
- Bouffe de secours
- Corde
- Eau potable (dans contenant de 4 l ou poche de plastique) et/ou filtre à eau
- Ustensiles, tasse
- Ouvre-boîtes
- Savon biodégradable
- Linge à vaisselle, laine d'acier/éponge
- Bon couteau
- Sacs de plastique, Ziploc
- Piles de rechange
- Lampe de poche (étanche si possible) et/ou lampe frontale
- Feux de position de pont/lumière clignotante rouge/stroboscope
- Montre, cadran
- Sac à ordures
- Papier hygiénique

- Sacs étanches
- Radio météo
- Gants ou mitaines de néoprène
- Veste de pagaie
- Vêtements isothermiques
- Jupette
- Corde flottante
- Gants de cycliste (pour éviter les ampoules aux mains)
- Ballon de pagaie
- Pompe ou écope + grosse éponge
- Sifflet ou corne de brume
- Lunettes de soleil avec cordon
- Ruban adhésif
- Cartes marines et terrestres
- Porte-cartes étanche
- Tableau des marées
- Pagaie de secours
- Crème solaire
- Insectifuge
- Trousse de premiers soins
- Serviette
- Produits de toilette
- Tampons hygiéniques
- GPS + piles de rechange
- Radio VHF
- Médicaments personnels
- Lunettes ou lentilles cornéennes supplémentaires
- Trousse de couture
- Appareil photo, films/carte + piles de rechange
- Jumelles + guides d'identification
- Siège pliant ou coussin gonflable
- Épingles à linge

Pages suivantes : Campeurs Westfalia, anse aux Fraises, Anticosti

NAVIGUER
EN TOUTE SÉCURITÉ

La navigation, principes de base
Les règles de sécurité
Les règles d'éthique

La navigation – principes de base

∼ L'initiation

La façon la plus agréable et la plus sécuritaire de s'initier au kayak de mer, c'est d'avoir recours aux services d'un pourvoyeur spécialisé, comme il en existe tout le long des rives du Saint-Laurent et du Saguenay au Québec. Habituellement, le pourvoyeur propose une formation élémentaire, puis une excursion guidée de quelques heures ou de quelques jours en embarcation individuelle (monoplace) ou double (biplace).

Pour les gens qui ont absolument besoin d'être rassurés, le forfait de trois heures est idéal. Plusieurs se sentent ensuite prêts à se lancer à l'aventure et optent alors pour une excursion de deux à cinq jours en kayak-camping. Les bons pourvoyeurs fournissent tout l'équipement de navigation et de camping, un ou des guides accompagnateurs et animateurs, selon le nombre de participants, un encadrement sécuritaire et même un menu gastronomique tout à fait étonnant.

Au plus grand plaisir des participants, la bonne bouffe est en effet l'un des éléments

Page 72 : Secteur de Belle-Anse, Îles-de-la-Madeleine

Atelier d'initiation au rassemblement « Les Îles à la rame », Sorel

indissociables des excursions de kayak de mer. Chaque soir, après 15 ou 20 km de navigation, on monte le campement sur un emplacement de rêve pendant que le guide, transformé en grand chef, mêle les effluves de sa fine cuisine à ceux de l'air salin. Ensuite, on se régale comme jamais en dégustant un petit vin savoureux. Rien de trop beau !

～ Les méthodes de pagaie

On peut reconnaître un mauvais pagayeur et un débutant en la matière à des centaines de mètres de distance ! Les deux plongent profondément les pales en tenant leur pagaie presque à la verticale, comme s'il

Beaucoup plus facile de pousser que de tirer

s'agissait d'une rame, et décrivent de larges cercles en s'arrosant copieusement. Les novices peu sûrs d'eux regardent d'abord fixement chaque pale qui s'enfonce dans l'eau à bâbord et à tribord, puis, à mesure que la confiance s'installe, ils élèvent le regard vers le paysage. Les mauvais pagayeurs s'inspirent des techniques de kayak d'eaux vives, alors que les débutants ont souvent eu un kayakiste d'eaux vives comme formateur...

La méthode en eaux vives a bien un avantage : elle procure une propulsion maximale lorsque l'on recherche une accélération puissante. Toutefois, il est physiquement impossible de maintenir ce mouvement sur de longues périodes, d'autant plus que la position assise dans un kayak de mer ne se prête aucunement à ce genre d'impulsions soutenues.

La bonne méthode de pagaie permet de faire des gestes répétitifs durant plusieurs heures sans provoquer d'inconforts majeurs ni de blessures. Elle minimise l'effort en assurant quand même une bonne propulsion. La voici en détail :

– POSITION DE DÉPART : s'asseoir confortablement sur le siège, le dos droit, les pieds appuyés sur le pédalier, les jambes légèrement repliées afin de permettre le mouvement de va-et-vient, les genoux ouverts vers l'extérieur et appuyés sous le pont ;

– PRISE DE LA PAGAIE : saisir la pagaie de la largeur des épaules, plus fixement par la main gauche, la main droite permettant la rotation à l'intérieur du pouce et de l'index. La prise est tellement délicate que plusieurs kayakistes gardent inconsciemment le petit doigt en l'air ou les mains ouvertes ;

En mode croisière, la pagaie ne devrait pas s'élever plus haut que les épaules, mais il arrive que lors d'une accélération puissante on l'élève plus à la verticale.

Compétition en tandem, Défi des îles, Trois-Pistoles, Bas-Saint-Laurent

– MOUVEMENT : amorcer le mouvement les deux bras bien droits devant soi, à la hauteur des épaules. Entrer la première pale (disons la droite) dans l'eau, à proximité de l'avant du kayak, tout en restant près de la surface. Le bras droit tire la pagaie vers le corps, tandis que le bras gauche la pousse sans forcer, et vice-versa. On a l'habitude de dire que l'on «pistonne» puisque ce geste rappelle la cadence des pistons d'un moteur. Le mouvement décrit ainsi est ovale, et non pas rond. Le coude dépasse à peine l'angle droit afin de ne pas induire une rotation du tronc, qui demeure droit le plus possible. Plusieurs pagayeurs tournent les épaules dans un mouvement de rotation ou se penchent alternativement d'un côté et de l'autre ; cela engendre une fatigue prématurée et excessive tout en accentuant le risque de blessure. Le tronc d'un bon pagayeur bouge très peu.

Il va de soi que lorsque les conditions climatiques ou les courants exigent une force de propulsion plus importante, la cadence doit augmenter et les mouvements deviennent plus marqués, plus accentués, mais la technique ne change pas pour autant. La trajectoire de la pagaie a cependant tendance à s'élever avec l'effort qui s'accroît.

~ Les techniques de récupération ou d'esquimautage

Autrefois, les kayakistes inuits, en particulier ceux de l'Alaska et du Groenland, étaient

Démonstration de technique d'esquimautage, cap Jaseux, fjord du Saguenay

considérés comme d'excellents pagayeurs, car ils maîtrisaient plusieurs techniques de récupération, que nous avons appelées par la suite «esquimautage». Les exigences de la chasse les ont en effet amenés à mettre au point des techniques audacieuses, comme la récupération en tenant la pagaie d'une seule main et en s'aidant de leur harpon ou d'une main. Ainsi, ils n'utilisaient pas l'esquimautage qu'en situation d'urgence.

Les Inuits ont pratiqué ce que nous décrivons plus loin comme la «récupération à l'esquimaude par la pointe», qui consistait à se servir de la proue d'un kayak à proximité comme point d'appui et à l'agripper pour se remettre en position sur l'eau. Parfois, lorsqu'ils étaient en groupe, les Groenlandais s'introduisaient à l'intérieur de leur kayak pour y respirer en attendant le secours de leurs compagnons.

De nos jours, de plus en plus de kayakistes utilisent ces techniques, adaptées aux équipements modernes. Gilles Lévesque, spécialiste du plein air, maître ès canot, kayakiste des premières heures et enseignant à l'Université du Québec à Chicoutimi au Programme d'études en plein air et en tourisme, donne depuis plusieurs années des formations consacrées aux techniques de récupération en kayak de mer. Dans les pages qui suivent, nous vous présentons certains éléments de son cours pour illustrer les différentes techniques de récupération.

Sortie d'urgence

● Objectif : effectuer une sortie sous contrôle* d'un kayak chaviré.
● Commentaires : le fait de manifester un bon contrôle de soi pendant cet exercice est capital. Cela démontre la grande autonomie

Technique de récupération

du kayakiste qui pourra, en cas de besoin, prendre sa situation en main et poursuivre ses démarches de récupération.

● Explications :
– Le kayakiste place sa pagaie sous un bras, puis il se penche sur l'avant du kayak pour le chavirer.
– Il prend le temps de donner trois coups sur la coque du kayak (il demeure sous l'eau pendant trois secondes) comme signal d'avertissement.
– Ensuite, il place ses mains sur l'hiloire, les glisse jusqu'à la poignée d'évacuation et retire la jupette.
– Il sort du kayak calmement, en gardant le contact avec son kayak et sa pagaie.
– Enfin, il indique à ses partenaires que tout va bien.

Récupération à l'esquimaude par la pointe

● Objectifs : récupérer le kayak chaviré, sans sortir de son embarcation, à l'aide de la

---

* Dans ce contexte, l'expression «sous contrôle» signifie que le kayakiste doit démontrer ostensiblement à ceux qui l'accompagnent qu'il contrôle la situation avant d'effectuer sa manœuvre d'évacuation.

1. Appui avant dessalage

2. Récupération à la groenlandaise

technique de la récupération à l'esquimaude par la pointe (récupéré) ; assister un kayakiste dans la récupération de son kayak à l'aide de la technique de la récupération à l'esquimaude (récupérateur).

• Commentaires : ce type de récupération est issu d'une longue tradition qui remonte au temps où les Inuits ne savaient pas esquimauter. Lors d'un chavirement, au lieu de dessaler, le kayakiste entrait dans son kayak et attendait la venue d'un partenaire pour lui porter assistance. Nous avons adapté cette technique afin d'épargner temps et énergie.

• Explications :
- Le récupéré chavire, mais sans dessaler. Il demeure sous l'eau, jupette en place.
- Il sort ses bras de chaque côté du kayak et frappe la coque comme signal d'avertissement.
- Il balance ses bras des deux côtés, de l'avant vers l'arrière.
- Le récupérateur se tient près du kayak, prêt à intervenir. Il s'avance à une vitesse contrôlée avec un angle de 45 degrés pour placer la pointe de son embarcation près d'une des mains du récupéré.

1. Gonflement, ballon de pagaie

2. Embarquement à l'aide du ballon de pagaie

3. Récupération à la groenlandaise

4. Récupération en « T »

– Le récupéré place ses mains sur la pointe du kayak de son partenaire et remonte à l'aide d'un coup de hanches.

Récupération assistée en eaux profondes en «T»

• Objectifs : réintégrer son kayak en appliquant une méthode de récupération efficace après un dessalage (récupéré) ; assister un kayakiste chaviré pour qu'il réintègre son kayak en appliquant une méthode de récupération (récupérateur).

• Commentaires : l'expérience de se retrouver hors de son kayak fait partie intégrante de l'apprentissage de tout kayakiste. Il apprend ainsi qu'il peut facilement réintégrer son embarcation avec l'aide d'un partenaire et d'une méthode efficace. À noter qu'il existe plusieurs variantes de cette technique.

• Explications :
– Le récupéré chavire complètement et sort du kayak en faisant preuve de contrôle.
– Il garde contact avec son kayak et indique à ses partenaires que tout va bien.
– Il tourne son kayak à l'endroit.
– Le récupérateur prend le contrôle de la situation et s'occupe des manœuvres.
– Il se place perpendiculaire au kayak du récupéré (la pointe du kayak du récupéré

3. Appui et pompage de l'eau

4. Récupération en appui

est au niveau de son hiloire) et assure la sécurité des pagaies.

– Le récupéré se place à la pointe avant du kayak du récupérateur en gardant une prise constante sur les kayaks. Il croise les jambes sur le pont avant.

– Le récupérateur glisse le kayak plein d'eau sur son hiloire en appliquant un soulèvement minimal. Il fait pivoter le kayak pour faire sortir l'eau de l'hiloire et retourne le kayak une fois qu'il est vidé.

– Il place le kayak du récupéré parallèlement à son propre kayak, la proue du premier vers sa poupe.

– Alors que le récupérateur maintient l'équilibre du second kayak, le récupéré se hisse sur le pont arrière de son embarcation en gardant son centre de gravité bas.

– Il glisse dans son hiloire, se retourne et remet sa jupette en place.

Autorécupération avec ballon de pagaie
● Objectif : récupérer son kayak chaviré sans assistance extérieure en utilisant un accessoire flottant, le ballon de pagaie.
● Commentaire : cette technique procure une grande autonomie au kayakiste.

Esquimautage d'un kayak groenlandais

- Explications :
- Le kayakiste dessale sans perdre contact avec son kayak.
- Il attrape son ballon flottant et l'installe sur l'une des pales afin d'obtenir un support.
- Il retourne son kayak à l'endroit.
- Il installe sa pagaie derrière l'hiloire ; le manche près de la lèvre, il enserre d'une main le manche et l'hiloire comme pour former un étau.
- La pagaie est alors perpendiculaire au kayak ; le ballon flottant est le plus loin possible de l'embarcation.
- Le kayakiste se place derrière l'hiloire pour amorcer sa montée. Avec un bon coup de ciseau de ses jambes, il se hisse sur le pont arrière de son kayak en prenant appui avec une jambe sur la pagaie.
- Il rampe sur son kayak jusqu'à ce qu'il puisse glisser ses jambes dans l'hiloire. Il se retourne en prenant soin de maintenir son poids du côté du ballon flottant.
- Il replace sa jupette en gardant un accès pour la pompe.
- Enfin, il vide son kayak et enlève son ballon flottant.

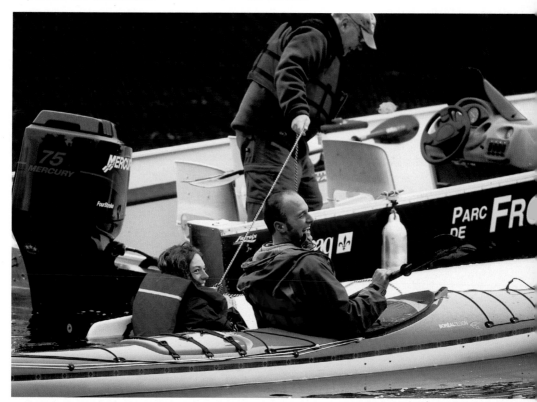

Récupération d'une kayakiste, Parc national de Frontenac

Les règles de sécurité

Au Canada, c'est la Garde côtière qui établit la réglementation entourant la navigation et l'équipement requis pour voguer sur les eaux canadiennes. Cette réglementation varie en fonction de la longueur de l'embarcation. Les mesures que nous vous présentons ci-dessous constituent la norme minimale pour être en règle avec la Garde côtière du Canada, peu importe qu'il s'agisse de votre embarcation, d'une embarcation empruntée ou louée ! Tout contrevenant est passible de sanctions ou d'amendes*.

Embarcations de 6 m ou moins

Pour naviguer dans une embarcation mesurant au plus 6 m de longueur, par exemple dans un canot, un kayak et une embarcation à avirons, l'équipement suivant est requis :

Tous les moyens sont bons pour ne pas se perdre

Équipement de protection individuelle
– Un vêtement de flottaison individuel (VFI) ou un gilet de sauvetage homologué au Canada pour chacune des personnes à bord, de la bonne taille, idéalement de couleur voyante et en bon état. Les poches du VFI pourront contenir des fusées de détresse, un sifflet relié à un cordon et une radio ;
– Une ligne d'attrape flottante d'au moins 15 m de longueur.

Équipement de sécurité de l'embarcation
– Un dispositif de propulsion manuelle (pagaie) de rechange ;
– Une écope ou une pompe à main pour évacuer l'eau qui a pénétré dans le kayak.

Une éponge permet de bien assécher l'habitacle et les compartiments.

Équipement de navigation
– Un instrument sonore (un sifflet sans bille, une corne sonore à gaz ou une corne électrique) ;
– Des feux de navigation conformes aux dispositions du Règlement sur les abordages si l'embarcation de plaisance est utilisée entre le coucher et le lever du soleil ou encore en période de visibilité réduite. Une lampe de poche peut jouer ce rôle, mais il est préférable d'utiliser un feu blanc diffusant sur 360 degrés.

Pages précédentes : Remorquage, îles de Kamouraska

∼ Embarcations de 6 à 8 m

Les kayaks biplaces entrent dans cette catégorie. À l'équipement indiqué précédemment, il faut ajouter six signaux pyrotechniques homologués au Canada de type A, B ou C.

Les embarcations sont dispensées de l'obligation de posséder des signaux pyrotechniques si elles :

– naviguent sur un cours d'eau, un canal ou un lac où elles ne se trouvent jamais à plus de 1,6 km de la rive ; OU

– participent à une compétition officielle ou aux derniers préparatifs d'une telle compétition et n'ont pas de couchettes.

∼ Kayak et traversiers

Aux règles de sécurité prescrites par la Garde côtière canadienne s'ajoutent quelques conseils particuliers aux kayaks de mer qui naviguent sur la rivière Saguenay. Les kayakistes croisent rarement un traversier sur le Saint-Laurent, mais sur le Saguenay, c'est une autre histoire ! De fait, à l'embouchure du fjord du Saguenay, kayaks et traversiers reliant Baie-Sainte-Catherine (Charlevoix) à Tadoussac (Côte-Nord) se rencontrent plusieurs fois par jour. De plus, cette région est particulièrement difficile pour les kayakistes puisqu'elle comporte de très forts courants et d'importantes zones de clapotis. Pour prévenir les petites embarcations, quatre panneaux avertissant du danger et délimitant la zone d'attente avant d'engager une manœuvre sont installés de part et d'autre du secteur de navigation des traversiers.

Selon la Société des traversiers du Québec, le Bureau de la sécurité nautique de Transports Canada et les parcs nationaux, voici ce que tout kayakiste qui s'engage dans ce secteur devrait savoir :

• Votre embarcation n'est pas détectable par les radars et, comme elle est très basse sur l'eau, elle est très difficile à apercevoir.

• La navigation en groupe vous rend plus visible.

• En période estivale, trois traversiers offrent des départs aux 13 minutes. Les traversiers sont munis d'une hélice à chaque bout, créant des remous au départ et à l'arrivée au quai.

Traversier entre Trois-Pistoles et Les Escoumins

• Dans le fjord et aux abords des traversiers, il est recommandé de naviguer près des côtes et non au milieu de la rivière.

• Le moment propice pour franchir la route des bateaux se situe à l'instant où le premier traversier a quitté le quai et où le traversier en attente est accosté.

---

* Sources : Fédération québécoise du canot et du kayak et Bureau de la sécurité nautique (Pêches et Océans Canada).

Les règles d'éthique

En plus de la réglementation imposée par la Garde côtière et des conseils de sécurité, tout bon kayakiste doit respecter certaines règles d'éthique, c'est-à-dire manifester un comportement respectueux de l'entourage et de l'environnement et inciter toute personne à en faire autant. Ces règles, qui sont le fruit d'une réflexion collective, vous sont présentées dans l'aide-mémoire suivant*.

∼ Règles générales

• Le kayakiste est la personne la mieux placée pour assurer sa sécurité. Chaque fois qu'il utilise son embarcation, il a les équipements de secours et de sécurité requis et possède les connaissances suffisantes pour s'en servir adéquatement. Il porte sa veste de sécurité (VFI) en tout temps.

• Il planifie avec minutie ses sorties et ses expéditions. Il s'assure d'avoir l'équipement de base approprié.

• Il établit un plan de navigation et en informe un proche avant de partir.

• Il évite de partir seul.

• Il est conscient de ses limites et respecte celles des autres.

• Il est courtois en tout temps et respecte les autres usagers. Il propose son aide à toute personne qui semble en difficulté.

• Il se renseigne sur les règlements en vigueur et les respecte, tout comme il respecte la propriété privée.

• Lorsqu'il est sur l'eau, il évite les brusques changements de direction. Ces comportements imprévisibles dérangent la faune et peuvent surprendre les autres utilisateurs du plan d'eau.

• Il ne s'approche jamais à moins de 200 m (220 verges) des animaux. Il s'éloigne si les animaux qu'il observe montrent des signes de nervosité ou de panique.

• Il réduit le bruit et la vitesse à proximité des animaux. Il ne les encercle pas et ne les poursuit jamais.

• Il ne campe jamais sur des îles de moins de 60 m de diamètre ni sur celles qui abritent

* Source : tiré du texte de Daniel Cyr, de Québec Kayak : www.cam.org/~cyrd/kayak

des colonies d'oiseaux ou de phoques. À terre, il évite les aires de nidification et les échoueries de phoques.

• Il ne lave jamais rien directement dans le plan d'eau. Le lavage (vaisselle, lessive et douche) se fait toujours à terre, avec un savon biodégradable. De cette façon, le sol joue pleinement son rôle de filtre.

• Il utilise un réchaud plutôt qu'un feu ouvert pour préparer ses repas. Sinon, il fait son feu dans la zone intertidale où la marée n'aura aucune difficulté à faire disparaître les traces.

• Il rapporte tous ses déchets et il s'assure, en quittant un site de camping ou d'arrêt, de ne laisser aucune trace de son passage.

• Il fait connaître ces règles d'éthique autour de lui.

Bateau de la Garde Côtière, Havre-Saint-Pierre, Minganie

∼ Kayak et baleines

Voici les comportements à adopter en présence de mammifères marins*.

• La première règle à respecter, que l'embarcation soit motorisée ou non, s'énonce très simplement : il est interdit de se comporter de façon à déranger un mammifère marin.

• Aucune approche des bélugas du Saint-Laurent, espèce menacée de disparition, n'est permise. En cas de rencontre fortuite, on doit s'éloigner lentement.

• En présence d'un mammifère marin, à une distance 400 m et moins, la période maximale d'observation est de 1 heure. L'embarcation doit ensuite se retirer à une distance de 1,6 km de l'animal et attendre 1 heure avant de revenir dans la zone d'observation.

• Lorsqu'on se trouve à une distance de 200 à 400 m d'une baleine, tout changement de vitesse et de direction à répétition est interdit. Il n'est pas permis non plus de placer son embarcation devant le chemin de l'animal de manière qu'il passe à moins de 200 m.

• Aucune approche à moins de 200 m n'est tolérée pour les embarcations privées, alors que les bateaux détenant un permis d'observation peuvent s'approcher à 100 m dans certains cas. Lorsque qu'une baleine s'approche d'elle-même à moins de 200 m du kayak, il faut maintenir l'embarcation stationnaire jusqu'à ce que l'animal se soit éloigné ou qu'il ait plongé.

En compagnie de deux rorquals à bosse en Minganie

* Source : Parc marin du Saguenay – Saint-Laurent

La marée

Tant le jour que la nuit, le cycle des marées du fleuve Saint-Laurent et du fjord du Saguenay rythme le passage inéluctable du temps et le mouvement constant de la vie. Pour les kayakistes qui fréquentent ces rives, la marée est un facteur incontournable qui détermine dans plusieurs régions les moments de la journée où il est possible de mettre à l'eau et de naviguer.

La marée impose en effet son influence sur la force des courants et les conditions de navigation. Elle modifie également l'environnement et le paysage de façon continuelle, obligeant la faune et la flore à manifester une faculté d'adaptation remarquable. Comme l'amplitude de la marée varie d'un endroit à l'autre, il demeure donc absolument essentiel pour les kayakistes de mer de connaître ses fluctuations, les heures de haute et de basse marée ainsi que les effets de celle-ci sur le secteur précis où ils veulent kayaker. Plus encore, les kayakistes doivent apprendre à composer avec la marée, plutôt qu'à s'y opposer, en se servant des courants accentués pour accélérer et faciliter leurs déplacements.

En fait, la marée constitue l'élément premier de tout plan de navigation. C'est elle qui détermine l'heure de départ, la durée des segments de navigation et le moment de sortie des eaux. Tous les kayakistes qui se sont fait prendre à débarquer sur un rivage à marée basse, sur un estran boueux et glissant qui peut facilement atteindre un demi-kilomètre, à transporter bagages et embarcation à bout de bras, savent très bien de quoi il retourne. Ils s'organisent d'ailleurs après coup pour partir quelques heures avant la fin du montant (marée montante) et terminer leur navigation avant la fin du jusant (marée descendante). Ils profitent pleinement de la période d'*étale*, soit environ une heure durant laquelle la marée n'a aucune influence, entre son plus haut point et la reprise du mouvement à la baisse.

On observe deux cycles de marées quotidiennement, chacun de ces cycles étant décalé approximativement d'une heure par rapport à la marée précédente. La différence de hauteur entre la marée basse et la marée haute est appelée *marnage*. Dans le golfe du Saint-Laurent, le marnage moyen varie autour de 1,5 m ; dans l'estuaire, il peut atteindre 3,5 m.

~ Des ondes de marée

En terme scientifique, et pour bien visualiser la façon dont se forment les marées, on peut les décrire comme des oscillations en forme d'ondes qui s'étirent sur une durée moyenne de 12 heures et 25 minutes, deux fois par jour. Ces mouvements sont générés dans l'océan Atlantique et remontent l'estuaire du Saint-Laurent. Exactement comme la vague qui se gonfle en approchant du rivage, l'amplitude des marées s'accroît avec la diminution de la profondeur et le rétrécissement du fleuve, jusqu'à atteindre un maximum de 7,1 m à la hauteur de l'île aux Coudres. En amont de cette région, le frottement de la masse d'eau sur le fond freine progressivement ces ondes de sorte que, lorsqu'elles atteignent Trois-Rivières, le marnage est inférieur à 30 cm.

Île du Fantôme, archipel des îles de Mingan, Moyenne-Côte-Nord

~ L'Atlas des courants de marée

L'amplitude et l'horaire des marées étant prévisibles, on peut les calculer longtemps à l'avance et produire des tables de marées que les kayakistes et les autres navigateurs devront consulter pour établir leur plan de navigation. Les courants produits par le courant* et les marées sont cependant beaucoup plus difficiles à décrire ou à prévoir, surtout dans la zone en aval de Cap-de-Bon-Désir ; dans cette section de l'estuaire et dans le golfe, les courants sont généralement plus faibles et fréquemment dominés par les mouvements engendrés par les vents et les variations de densité de l'eau, ce qui rend impossibles les prévisions à long terme des courants de marée.

L'*Atlas des courants de marée,* de Pêches et Océans Canada, donne toutefois une description incroyablement détaillée des courants entre Trois-Rivières et le Saguenay, un secteur où ces phénomènes sont plus facilement prévisibles. Ces descriptions sont d'autant plus précises qu'elles permettent de suivre l'évolution de la vitesse et de la direction des courants heure par heure, secteur par secteur. Cet outil imprimé s'avère des plus intéressants pour les navigateurs qui ne laissent rien au hasard. On peut se le procurer au Bureau de distribution des cartes marines, un office gouvernemental qui distribue, en plus des cartes marines, les guides nautiques et les tables des marées, ainsi que chez les dépositaires autorisés du Service hydrographique du Canada.

~ L'influence des astres*

Les principales forces qui donnent naissance aux marées océaniques sont celles de l'attraction de la Lune et du Soleil. En raison de sa proximité de la Terre, les effets causés par l'attraction de la Lune sont environ deux

Grandes marées extrêmes et marées moyennes

Golfe et fleuve Saint-Laurent - (mètres au-dessus ou au-dessous du zéro des cartes)

Endroit	PMSGM	BMIGM	Haut	Bas	Niveau moyen de l'eau
Charlottetown	2,9	0,0	3,8	-0,7	1,7
Sept-Îles	3,4	-0,2	4,0	-0,6	1,5
Québec	5,7	-0,1	7,1	-1,3	2,6
Chicoutimi	6,1	0,0	6,5	-0,3	2,4

PMSGM : niveau supérieur moyen des grandes marées
BMIGM : niveau inférieur moyen des grandes marées
Haut et bas : niveaux le plus haut et le plus bas des grandes marées

---

* Le courant (au singulier) est le mouvement naturel de l'écoulement des eaux par gravité de l'amont vers l'aval, alors que les courants produits par la marée sont créés par la hausse et la baisse du niveau des eaux suscitées par les marées. Ces courants peuvent accélérer ou ralentir l'écoulement par gravité.

Lors des grandes marées, la force d'attraction de la lune se conjugue à celle du soleil.

fois supérieurs à ceux du Soleil. Le rythme des marées coïncide donc généralement avec la rotation apparente de ce satellite autour de la Terre. Le jour lunaire étant de 24 heures 50 minutes, la période associée à un cycle complet de la marée dure 12 heures 25 minutes (marée semi-diurne).

Mais d'autres facteurs non astronomiques jouent un rôle important sur les plans du marnage et de l'intervalle entre les marées basse et haute. Ces facteurs peuvent être la configuration de la côte, la profondeur de l'eau, la topographie de l'océan ainsi que diverses influences hydrographiques et météorologiques.

Les fluctuations mensuelles

Au moment de la nouvelle et de la pleine Lune, la force d'attraction du Soleil se conjugue à celle de la Lune, ce qui provoque les grandes marées (ou marées de vive-eau). Celles-ci correspondent à la plus forte des deux fluctuations mensuelles du marnage. À l'inverse, quand l'astre lunaire se trouve à ses premier et dernier quartiers, sa force d'attraction s'oppose à celle du Soleil ; il en résulte les petites marées (ou marées de morte-eau).

La forme des baies et des estuaires influence également la force des marées. Le long et étroit goulet de la baie de Fundy produit les plus fortes marées du monde*. C'est à Burntcoat Head (Nouvelle-Écosse), dans cette baie, que l'on enregistre le marnage le plus important du Canada : 16,1 m. Le plus faible marnage est sans doute celui d'Eureka, sur l'île d'Ellesmere (Nunavut) : 0,1 m.

---

* Source : Service hydrographique du Canada, Pêches et Océans Canada.
* Source : L'*Atlas du Canada*, Ressources naturelles Canada.

Pages suivantes : La magie des ambiances de la Minganie, île à Firmin

LES CLASSIQUES

Saguenay – Lac-Saint-Jean
Îles-de-la-Madeleine
Côte-Nord
Gaspésie

Saguenay – Lac-Saint-Jean

Alain et moi habitons une île : le Saguenay – Lac-Saint-Jean. Une drôle d'île, nous en convenons. Une étendue d'eau entourée de terre et de montagnes, au beau milieu d'un océan d'épinettes. Un pays dans le pays, qui a tous les attributs de l'insularité. C'est là que nous vivons et travaillons.

Royaume de plein air, de prodigalité et d'immensité, le Saguenay – Lac-Saint-Jean se définit géographiquement par son fjord monumental, profonde échancrure dans l'assise rocheuse du Bouclier canadien, de même que par le lac Saint-Jean, véritable mer intérieure héritée des glaciers. Beaucoup d'eau, encore plus de forêt, infiniment d'espace, et des saisons qui recréent continuellement le paysage.

Situé au nord-est de la ville de Québec et au nord de la capitale de l'observation des baleines, Tadoussac, le Saguenay – Lac-Saint-Jean fonde sa renommée touristique, d'une part, sur la qualité d'accueil proverbiale de sa population, qui se targue d'être à nulle autre pareille, et, d'autre part, sur ses attraits naturels éblouissants.

D'abord chemin d'eau et route des fourrures utilisés par les autochtones et les coureurs des bois, le Saguenay demeure un fjord incomparable, une splendeur grandiose sculptée par les nombreux passages des glaciers. Montagnes érodées, lacs par milliers et forêts verdoyantes enveloppent à l'infini des panoramas marins absolument saisissants. Tout cela au grand bonheur des adeptes du kayak de mer, de la photographie, du nautisme, du camping et des émotions fortes.

À la croisée des rivières, on observe au Saguenay, comme dans une toile de grand maître, quelques villages pittoresques blottis au creux des anses et des baies. On s'étonne ensuite de voir apparaître dans ce décor une ville moderne et trépidante : Saguenay. Plus avant, tout un chapelet de localités agricoles et industrielles, bordées de champs verdoyants, encercle le lac Saint-Jean et son horizon qui s'élève vers les Laurentides.

La région doit en grande partie sa vitalité économique à l'industrie du bois puisqu'elle s'impose en tête de lice des régions productrices du Québec dans ce secteur d'activité. La production hydroélectrique y est également très importante, tout comme celle de l'aluminium depuis l'ouverture d'une des plus grandes alumineries du Québec à Alma.

Sainte-Rose-du-Nord, fjord du Saguenay
Page 100 : Accostage, baie Éternité

Le transport du kayak doit s'effectuer avec précaution, fjord du Saguenay

～ Le fjord du Saguenay, pays du kayak de mer

Une expérience unique au monde

Notre lien avec le fjord du Saguenay est de nature essentiellement passionnelle. Quasi obsessionnelle même. C'est l'histoire d'un fjord qui ne se trouve pas vraiment à sa place au sud du Grand-Nord et de deux gars qui n'ont pas vraiment leur place dans la ville et lui préfèrent largement les grands espaces sauvages. Par le jeu des hasards et du destin, les trois finirent par se rencontrer et par lier leurs existences le temps d'une vie.

On pourra donc nous soupçonner de chauvinisme et de partialité lorsque nous affirmons qu'il n'y a pas de meilleur endroit pour faire du kayak de mer dans le nord-est du continent que sur le fjord du Saguenay. Nous ne reculerons pour rien au monde devant cette affirmation puisque nous savons mieux que quiconque à quel point le fjord est unique sur tous les plans. C'est chez lui que le kayak de mer est apparu au Québec dans les années 1980 et cela n'est certes pas attribuable uniquement au hasard.

Le fjord abrite deux parcs nationaux : le Parc national du Saguenay et le Parc marin du Saguenay – Saint-Laurent. On y trouve le premier sentier maritime destiné au kayak de mer au Québec ainsi que des infrastructures qu'on ne trouve nulle part ailleurs. Les spécificités marines de ce milieu naturel absolument spectaculaire associent les particularités de la mer et de la rivière.

Le Saguenay – Lac-Saint-Jean, c'est également le siège d'un royaume mythique, de légendes fabuleuses et d'une histoire fascinante. Ces récits se conjuguent à notre

Face à face, rive du fjord du Saguenay

Paroi de granit rose, Chicoutimi-Nord, cap Sainte-Anne

Baie Sainte-Marguerite

profonde expérience de ce milieu sur lequel nous avons déjà publié trois ouvrages en plus de dizaines de reportages. De mon côté, j'ai ajouté aussi quelques guides de voyage. Mais la rivière a mis des années à se livrer au journaliste et au photographe curieux et captivés. À l'auteur, le fjord a donné une grande partie de ses souvenirs, sans lesquels il est impossible de bien le comprendre et

même de le connaître. Au photographe, il a transmis le sens de la lumière et des dimensions dans un espace incommensurable. Aux deux amateurs de kayak de mer, il a offert de profonds bonheurs et de mémorables frayeurs qui ont, tous les deux, représenté de puissantes sources d'inspiration.

Dans cette relation s'incarne le lien privilégié du fjord avec ceux et celles dont le sang contient autant de sel marin que de gomme d'épinette et qui ont aussi choisi le Saguenay comme compagnon. Ce sont des navigateurs dans la marge qui se sont attribué le Saguenay comme océan et qui explorent cet amphithéâtre monumental dans leurs minuscules embarcations. Des amants de liberté et de nature qui ont choisi de s'abandonner aux courants et aux marées. Des scientifiques qui cherchent toujours à comprendre. Des capitaines et des pilotes qui en ont vu d'autres. Des historiens qui lisent sur les berges et sur les vagues comme en un grand livre.

D'une longueur d'une centaine de kilomètres, ce qui en fait un des plus grands fjords du monde, et d'une largeur variant de 2 à 4 km, le fjord du Saguenay occupe une faille profonde dans le Bouclier canadien qui a été surcreusée par le passage des glaciers. Il est bordé d'escarpements abrupts d'une élévation moyenne de 150 m mais atteignant plus de 400 m à certains endroits, notamment aux caps Trinité (411 m) et Éternité (457 m).

Le lit du fjord comporte trois bassins qui s'étendent sur tout son cours. Celui qui se situe le plus en amont atteint 276 m entre Sainte-Rose-du-Nord et L'Anse-Saint-Jean, soit environ 170 m de plus que le lit du Saint-Laurent de chaque côté de l'île Rouge. Devant

Paroi du cap Trinité, baie Éternité, fjord du Saguenay

Chute de glace dans le secteur L'Anse-à-la-Croix, fjord du Saguenay

l'île Saint-Louis, le fond replonge à 180 m en formant un deuxième bassin et remonte devant la baie Sainte-Marguerite, puis il redescend jusqu'à 250 m de profondeur dans un troisième bassin avant d'atteindre l'embouchure.

Le kayak de mer est, et de loin, l'embarcation, le moyen, voire l'outil qui permet le plus efficacement d'entrer en contact avec le fjord du Saguenay. Petite coquille, refuge de silence et de contemplation, le kayak donne comme nul autre le goût de prendre le temps de sentir et d'apprécier le fjord. Depuis près de deux décennies, le Saguenay est d'ailleurs devenu la Mecque du kayak de mer dans le nord-est du continent. On y vient de partout pour s'initier à cette activité nautique accessible à tous. Le chemin d'eau du Saguenay peut être utilisé par tous les amateurs de plein air : l'état de grâce qu'il procure peut être partagé par le grand public à petites mesures ou à grandes doses.

À bord d'un kayak de mer, on ressent vraiment un contact très étroit avec l'environnement marin. On perçoit chaque zone de courant, l'influence des marées et des vents, les secteurs de clapotis au bout de tous les caps et le moindre changement météorologique dont il faut prévoir les conséquences. Le silence nous incite à être attentifs au moindre son, celui d'une cascade qui dévale la falaise, d'un phoque qui plonge subitement ou d'un béluga qui souffle en surface. La cadence régulière de la pagaie peut devenir obsédante et conduire à une introspection encore plus profonde. On fixe alors la pointe du bateau qui fend l'eau et on se perd dans ses réflexions, avec plus de 300 m d'eau sous le bateau et

300 m de falaises abruptes dressées vers les nuages.

La petitesse de l'embarcation, dans un décor aussi gigantesque que celui du fjord, force à la modestie et à une prise de conscience des différents dangers qui guettent les kayakistes. Les changements subits de météo et les forts vents qui peuvent se lever en quelques minutes représentent les principales craintes de tous les kayakistes qui connaissent le Saguenay. D'autant plus que les endroits où se mettre à l'abri sur le fjord sont rares. Il faut donc bien étudier les trajets quotidiens et anticiper toutes les situations ainsi que toutes les possibilités d'évacuation. Autrement, le kayak procure d'incroyables bonheurs, particulièrement par beau temps, alors que les vents sont faibles ou nuls et que la surface du fjord se transforme en miroir. C'est l'occasion de contempler les magnifiques parois rocheuses, de s'arrêter au fond des baies pour casser la croûte ou savourer de petits plats élaborés, puis faire la sieste sur la pierre chaude avant de repartir. Les périodes de calme sont particulièrement mémorables lors des moments d'étale qui durent une heure entre le point culminant de la marée haute et l'instant où la marée commence à baiser. On peut alors stopper en plein centre du fjord, entre les grands caps, et sentir la mer qui s'arrête entre deux respirations. Entendre le moindre bruit et toucher le silence.

On navigue généralement de 15 à 20 km par jour, jalonnés de nombreuses pauses et de plusieurs moments d'échanges en navigation parallèle ou à l'arrêt, en formation de radeau, alors que l'on regroupe les embarcations en les tenant par les pagaies et qu'on se laisse dériver.

Réunion avant le départ, camping des îlets Rouges, fjord du Saguenay   *Yan prépare le petit-déjeuner sous la bâche*

Des excursions organisées

Toutes les formules de sorties ou d'excursions sont envisageables sur le Saguenay. Il est possible de choisir des forfaits d'initiation dans plusieurs municipalités riveraines, dont L'Anse-Saint-Jean (Fjord en kayak, palme d'or nationale aux Grands Prix du tourisme du Québec), Saint-Fulgence (Parcours Aventures/Parc Aventures Cap-Jaseux), Rivière-Éternité (Parc national du Saguenay), Saguenay (Québec Hors-Circuit), Sacré-Cœur (Ferme 5 Étoiles) et La Baie, où sont implantées depuis longtemps des entreprises sérieuses et reconnues.

Un nombre considérable de pourvoyeurs du Saguenay et d'un peu partout au Québec proposent également des excursions avec couchers, repas, équipement et guide. Il s'agit généralement de sorties de deux à cinq jours sur une foule d'itinéraires différents. Cette formule est vraiment idéale pour se lancer à l'aventure, qu'on soit seul, en couple, en famille ou avec des amis. J'ai vu plusieurs fois de jeunes familles tenter l'expérience ou des gens sans la moindre expérience de la chose ; le plus souvent, ils reviennent enchantés de leur voyage et mordus de kayak. En réalité, le succès de telles entreprises est entièrement tributaire du climat, un facteur qui demeure hors de notre contrôle, et du professionnalisme des pourvoyeurs, qui assument la qualité de la formation, de l'encadrement, de la sécurité et, volet fort important s'il en est, de la bouffe et du camping. Généralement, les pourvoyeurs accordent beaucoup d'importance à la qualité des repas, ce qui contribue normalement à faire oublier le mauvais temps, lorsqu'il est malencontreusement au programme, ou les courbatures.

Le coucher s'effectue sur l'un des 13 sites aménagés par le Parc national du

Pages précédentes : Kayak en eau calme, fjord du Saguenay

Directives avant la mise à l'eau, baie Éternité

Montage de la tente sur plateforme

Saguenay sur des points stratégiques au fil des deux rives du fjord. Ces sites sont équipés de plateformes pour l'installation des tentes; généralement, on trouve de l'eau potable à proximité.

Des sites spectaculaires !

On peut connaître la position de ces emplacements de camping en consultant la *Carte de randonnée nautique* publiée annuellement par les parcs saguenéens. Il s'agit d'un outil essentiel pour tout voyage de kayak-camping sur le Saguenay; en plus de la réglementation d'usage, de la description des services et de la table des marées, on y trouve la nomenclature de tous les sites de camping rustiques et les coordonnées des centres de réservation. Si vous organisez votre propre excursion, vous devez obligatoirement réserver ces sites et acquitter les frais de location à l'avance.

Évidemment, ces emplacements sont remplis à pleine capacité en haute saison. Malheureusement, cela donne parfois lieu à des situations que l'on pourrait qualifier de «bordéliques» alors que s'y présentent des kayakistes sans réservation qui profitent du fait que les mesures de surveillance sont plutôt faibles. Mais le mauvais temps peut aussi mêler les cartes. Imaginez en effet que vous ayez réservé quatre emplacements de camping pour descendre le fjord en cinq jours et que des orages vous retiennent deux nuits plutôt qu'une au premier site. Comme il est impossible de communiquer avec les gestionnaires par téléphone sur le Saguenay, vous devrez forcément continuer votre excursion en campant sans réservation... Voilà une situation qu'il faut s'attendre à vivre.

Mais quels sont donc les plus beaux sites? C'est une question de goût, naturellement, puisque chacun d'eux offre un point

de vue magnifique. Personnellement, j'aime beaucoup l'Anse-de-Sable, près du Cap-au-Leste, en raison de sa plage et des lumières de La Baie qui jaillissent le soir. Le campement de l'Anse-de-l'Ermite n'est pas en reste puisqu'il fait face aux plus grandes falaises du fjord, les caps Trinité et Éternité. Celui de l'Anse-aux-Petites-Îles, dont la vue porte presque jusqu'au Saint-Laurent, est tout à fait charmant aussi. Non loin, le campement de la Pointe-à-Passe-Pierre est un peu en retrait, mais la pointe rocheuse qui s'avance dans le fjord est une pure merveille.

Lorsque nous avons commencé à faire du kayak, notre campement préféré était, et de loin, celui de la baie Sainte-Marguerite avec sa longue plage sablonneuse et ses grands plateaux en promontoire où se situait l'ancien village. Mais le Parc national du Saguenay s'est emparé des lieux pour y réaliser des aménagements majeurs qui ont bouleversé la physionomie de l'endroit. On a aussi interdit la navigation dans l'estuaire de la rivière Sainte-Marguerite pour protéger les bélugas qui y viennent régulièrement.

Il existe également quelques campings privés à proximité ou au bord du Saguenay ; les plus accessibles (à marée haute) sont ceux de L'Anse-Saint-Jean (Camping de L'Anse) et de Petit-Saguenay/Anse-Saint-Étienne (Village-Vacances).

Quelques conseils de navigation

Lors de chaque pause ou arrêt sur le Saguenay, il est essentiel de noter le mouvement de la marée, à la hausse ou à la baisse, et de positionner les kayaks en dehors de la zone de marnage. Concrètement, cela signifie que si vous laissez votre kayak près de la ligne d'eau quand la marée monte, il ne faudra que quelques minutes pour que vous le perdiez à la dérive. Pour la nuit, identifiez la limite de l'estran, soit le point le plus haut de la montée des eaux, et grimpez vos embarcations plusieurs mètres au-delà de cette ligne. Le fjord du Saguenay connaît des

Départ de la baie Sainte-Marguerite alors qu'elle était encore accessible aux kayaks
Ci-contre : Dans la baie Sainte-Marguerite à l'arrivée du squall

Bateau croisière La Marjolaine, fjord du Saguenay

marées de grande amplitude qui s'élèvent généralement de 4 m à plus de 7 m, ce qui provoque le dégagement de larges estrans dans les baies ainsi que des modifications constantes du paysage.

En kayak, on ressent toujours l'effet des marées et on n'a d'autre choix que de composer avec cette force. Par exemple, pour maximiser la vitesse, il est préférable de planifier les départs dans le dernier tiers du montant pour profiter à la fois de l'étale et du courant de la marée ascendante ainsi que des vents qui soufflent souvent d'ouest en est. Lorsqu'on navigue à contre-courant, on peut toutefois s'aider des courants de la marée montante qui s'inversent près des rives. On s'assure de plus d'éviter d'arriver à marée basse pour ne pas avoir à franchir de larges champs boueux sans eau avec l'embarcation et les bagages. La boue visqueuse, c'est une chose, mais ce qu'on redoute le plus lorsqu'on doit trimbaler le matériel sur l'estran, ce sont les algues, spécialement toutes les variétés de fucus qui s'accrochent aux pierres ou qui forment une colonie épaisse aussi glissante qu'une patinoire.

Si on entreprend une excursion sur le Saguenay par ses propres ressources, il faut compter de trois à cinq jours pour parcourir tout le fjord à une vitesse raisonnable. Le point de départ peut alors être Chicoutimi (marina) ou la Baie des Ha ! Ha ! (Anse-à-Benjamin). Pour naviguer sur le fjord à partir de sa ligne de départ jusqu'à son embouchure, on lance l'excursion de la flèche du littoral située à Saint-Fulgence. Cette émergence rectiligne de sable et de pierre constitue la séparation physique entre la rivière et le fjord.

Le Parc du Cap-Jaseux, situé entre le village de Saint-Fulgence et celui de Sainte-Rose-du-Nord, constitue également un excellent point de départ. D'autant plus que ce site dédié à l'aventure et au plein air est devenu la plaque tournante du kayak de mer au Saguenay. On y trouve des campings rustiques et aménagés, des chalets rustiques, un pourvoyeur ainsi que plusieurs services aux kayakistes.

Pour évaluer les étapes quotidiennes, on compte en moyenne de 15 à 25 km par jour. On peut sortir du Saguenay à partir des quais de toutes les municipalités ainsi que de la Baie-Éternité, centre d'accueil du Parc national du Saguenay. La destination finale demeure naturellement Tadoussac où il faut entrer avec infiniment de précautions pour trois raisons. Premièrement, la présence des traversiers à l'approche de la Pointe-de-l'Islet exige de la prudence des kayakistes (voir la section « Kayak et traversiers », à la page 93). Deuxièmement, les forts courants de l'embouchure du fjord (jusqu'à sept nœuds) comptent parmi les plus puissants sur l'ensemble du Saint-Laurent : comparativement au débit moyen annuel de 1 300 m³/s, son débit maximal atteint 3 000 m³/s ; ces courants engendrent de très hauts clapotis qui sont encore plus redoutables que le courant lui-même. Troisièmement, la densité de la circulation nautique dans la baie de Tadoussac est exceptionnelle ; il faut donc s'assurer d'être vu et de ne pas circuler près des nombreux bateaux de croisière et bateaux

Pages précédentes : Le farniente sur l'île aux Couleuvres devant Roberval, lac Saint-Jean

Au pied des dunes de Tadoussac

Les parcs du Saguenay

Deux parcs en un

La région du Saguenay connaît une situation unique au Québec avec ses deux parcs nationaux de juridiction différente qui se partagent un espace géographique commun. Il s'agit du Parc national du Saguenay et du Parc marin du Saguenay – Saint-Laurent (l'un des premiers parcs marins au Canada). En 1998, ils ont officialisé une forme de fusion administrative et fonctionnelle.

Le Parc national du Saguenay

La majeure partie de l'espace terrestre encadrant le fjord du Saguenay se trouve sur le territoire du Parc national du Saguenay, qui couvre une superficie de 284 km². La magnificence et le caractère d'exception de l'environnement ont inspiré le gouvernement du Québec, qui a créé ce lieu de conservation en 1983 afin d'assurer la pérennité du patrimoine naturel.

Le Parc national du Saguenay s'est surtout imposé en tant qu'un des plus beaux sites de kayak de mer et de randonnée pédestre dans l'est du continent nord-américain. Son centre d'accueil principal est situé à Rivière-Éternité ; les postes satellites se trouvent à Baie-Sainte-Marguerite et à Tadoussac.

Depuis 1984, il est jumelé au Parc national des Cévennes, dans le Languedoc-Roussillon, qui a été classé Réserve mondiale de biosphère par l'UNESCO en 1985.

Baie Sainte-Marguerite

Plage Sainte-Marguerite

Bélugas

Le Parc marin du Saguenay – Saint-Laurent

Première aire marine de conservation au Québec, le Parc marin du Saguenay –
Saint-Laurent a pour mandat de protéger et de mettre en valeur une partie du
fjord du Saguenay et de l'estuaire du Saint-Laurent, soit une superficie couvrant
1 138 km². Sur le fjord du Saguenay comme tel, l'emprise marine du parc recoupe
tout le secteur particulièrement riche, complexe et fragile de l'estuaire de la rivière
et de sa rencontre avec le Saint-Laurent. Il comprend ensuite tout le lit du fjord,
jusqu'au seuil du cap à l'Est.

Ce parc marin se singularise sous maints aspects par la nature même de son territoire,
un système ouvert constitué essentiellement d'eau et dont les limites rejoignent la
ligne des hautes eaux. Il se démarque aussi par son mode de gestion participative ;
en effet, la population locale s'implique dans la poursuite des objectifs de conservation
et de valorisation de cette région marine unique au monde. Le parc marin harmonise
donc un intérêt certain pour la préservation des écosystèmes marins et de leurs habitants
avec le bien-être des riverains qui, de tout temps, ont vécu en étroite symbiose avec la
mer. Ce souci se traduit, entre autres, par des recherches et des interventions concrètes
visant à mieux connaître les mammifères marins présents dans l'estuaire du
Saint-Laurent et à mieux comprendre l'influence des activités d'observation en
mer sur leur comportement.

privés qui entrent ou sortent constamment de la baie.

 ## Le lac Saint-Jean et ses secrets

Une mer dans la plaine

Au Québec, la majorité des kayakistes de mer concentrent leurs activités sur le Saint-Laurent et le fjord du Saguenay. Plusieurs semblent même ne pas considérer les lacs comme des lieux de navigation intéressants. Pourtant, bien que les lacs présentent des environnements radicalement différents des milieux marins, leur faune et leur flore sont immensément riches, et leurs milieux humides, propices à l'observation d'une multitude d'oiseaux et d'animaux. En prime, leurs conditions de navigation sont parfois étonnantes !

Les lacs dignes d'intérêt pour le kayak de mer sont légion au Québec. Si on les énumérait, la liste comprendrait des centaines de noms : Mistassini, Chibougamau, Témiscamingue, Abitibi, Matagami, du Poisson-Blanc... auxquels s'ajouteraient de gigantesques réservoirs.

L'un des plans d'eau les plus intéressants pour s'adonner au kayak de mer demeure indubitablement le lac Saint-Jean, ou Piékouagami (lac plat) comme l'appelaient les Ilnus. D'une superficie de 1 053 km², soit 43,8 km de longueur sur 24 km de largeur, cette mer intérieure possède 210 km de rivage et contient cinq milliards de mètres cubes d'eau lorsqu'elle atteint son niveau le plus élevé. Cinquième plus grand lac au Québec, le lac Saint-Jean compte 21 affluents dont les plus importants sont, en ordre décroissant, les rivières Péribonka, Ashuapmushuan, Mistassini et Mistassibi ; ensemble, elles

Secteur des îles de Saint-Gédéon, lac Saint-Jean

fournissent 75% des apports en eau du grand lac.

S'il vous arrive de kayaker sur le lac Saint-Jean, vous constaterez que, à plusieurs endroits, on s'avance très loin au large sans que la profondeur de l'eau atteigne plus de 1 ou 2 m; lorsque les eaux deviennent un peu plus profondes, à peine quelques mètres plus loin le fond se met à remonter progressivement. On peut voir là deux particularités du lac Saint-Jean : l'absence de grandes profondeurs et un fond presque plat. En moyenne, la profondeur du lac est de 11,3 m; près de 25% de son étendue est inférieure à 3 m et 40% reste sous les 6 m de fond. C'est dans une fosse localisée au sud-ouest, au large de Desbiens, qu'on trouve le point le plus creux du lac : 68,1 m.

Les kayakistes savent aussi que l'eau du lac parvient à se réchauffer suffisamment, en été, pour devenir fort plaisante. La température des eaux de surface peut atteindre 20° C. En novembre, par contre, elle descend jusqu'à 4° C !

Une eau de qualité

Il n'en a sans doute pas toujours été ainsi dans l'ascension du développement industriel, agricole et démographique mais, chose certaine, depuis quelques années nous assistons à un renversement de situation complet en ce qui a trait à la sauvegarde de l'environnement. Ce redressement a suscité des effets quasi immédiats puisque la qualité de l'eau du lac Saint-Jean est vite redevenue excellente. Cette situation est attribuable, en grande partie, à l'amélioration de la condition de l'eau des tributaires du lac et à la grande faculté de ce dernier de se régénérer. L'arrêt du flottage du bois, l'amélioration des techniques de coupe forestière, le contrôle des rejets industriels, l'épuration des eaux usées des municipalités ainsi qu'une prise de conscience des agriculteurs et de la population en général, ont amorcé un progrès concret vers la résolution des problèmes de pollution.

Le Parc national de la Pointe-Taillon

Quand il fait beau et chaud au lac Saint-Jean, ce qui arrive quand même souvent, tout le monde cherche son coin de sable. Et des belles plages, il y en a tout le tour du lac. Les plages publiques, dont Le Rigolet à Métabetchouan – Lac-à-la-Croix, la plage municipale de Desbiens et celle du Centre touristique Vauvert près de Dolbeau-Mistassini, sont particulièrement accueillantes. On peut facilement y mettre à l'eau son kayak.

Tous les campings installés au bord du lac Saint-Jean profitent abondamment de belles plages, qui se prêtent magnifiquement au séjour et au plaisir des baigneurs comme des amateurs de kayak de mer. La plus populaire et la plus grande, celle du Parc national de la Pointe-Taillon (à Saint-Henri-de-Taillon), occupe une presqu'île sablonneuse de 92 km^2 entre la rivière Péribonka et la rive nord du lac Saint-Jean. Le parc protège une flore et une faune diversifiées dans ses tourbières, ses marais et ses dunes. Cyclistes et marcheurs peuvent aussi y parcourir une vingtaine de kilomètres de sentiers qui font partie de la Véloroute des Bleuets.

Les kayakistes, plus spécialement, peuvent s'y adonner au camping rustique de deux façons : ils peuvent partir du poste d'accueil avec équipements et bagages pour se rendre sur un des terrains de camping

Dans les marais du lac Vert, Hébertville

riverains, ou profiter du service de transport de bagages pour se faciliter la vie et explorer en toute liberté les plages merveilleuses et sauvages de la Pointe-Taillon.

Quelques révélations

En fin de parcours, allons-y de quelques révélations sur le lac Saint-Jean. Il le faut bien puisque nous nous sommes donné comme mandat de tout dévoiler, même les petits secrets que nous avons si longtemps protégés !

Saint-Gédéon, à l'est du lac... Voilà un des secteurs les plus sublimes pour

pagayer en eau douce au Québec. On y met à l'eau à partir du quai municipal, accessible par le rang des Îles et le chemin du Quai. Sublime, donc, en raison des îles qui y émergent de toutes parts, longues ou rondes, rocailleuses ou sablonneuses. De petites plages magnifiques se dessinent entre les passages étroits ou sur les rives à l'assaut des vents dominants. Les huards y nichent sur les plus petits rochers et les oiseaux marins y protègent leur habitat en faisant du rase-mottes au-dessus de nos têtes. Surtout, ce recoin du lac Saint-Jean

recèle le plus beau coucher de soleil du monde. Sans blague ! Ce n'est pas le Bleuet qui parle. C'est le voyageur qui a vu des soleils couchants partout dans le monde et qui n'a jamais rien observé de plus merveilleux qu'un coucher de soleil à partir du quai de Saint-Gédéon ou de la base de plein air de l'Auberge des Îles voisine. On parie ?

À l'autre bout du lac complètement, l'embouchure de la rivière Mistassini tient aussi de la révélation... Ses rives ressemblent parfois aux allées de mangrove du Sud et ses îlots de sable fin émergent lorsque le niveau du lac s'abaisse. De toute beauté !

Un dernier secret... Le lac Tchitogama, près du petit village de Lamarche (Notre-Dame-du-Rosaire). Ce plan d'eau encaissé et tout en longueur est bordé de falaises qui rappellent certaines parties du fjord du Saguenay. La pièce de résistance se trouve à l'ouest du lac qui s'ouvre pleine largeur sur la divine rivière Péribonka. Il s'agit d'un secteur à explorer minutieusement pour y découvrir des baies cachées, des chutes superbes et des plages désertes. On met à l'eau à la marina.

Un petit paradis le long d'un passage entre les îles de Saint-Gédéon, lac Saint-Jean

Îles-de-la-Madeleine

Au beau milieu du golfe du Saint-Laurent, à plus de 200 km au large de la pointe extrême de la péninsule gaspésienne et à un peu plus de 100 km de l'Île-du-Prince-Édouard, émerge un chapelet d'îles, de rochers, de buttes et de dunes qui forme le bastion le plus avancé du Québec en Atlantique. En plus de sa culture maritime originale, de sa tradition d'accueil légendaire, de ses saveurs aux arômes de mer et de ses accents d'Acadie, l'archipel possède d'autres attraits qui mettent en valeur ses charmes naturels.

Goélands à manteau noir

Pour les amateurs de kayak de mer, «les Îles», comme on les appelle familièrement, sont devenues un véritable paradis. Les services et les pourvoyeurs s'y sont multipliés depuis quelques années et les voyageurs y descendent de plus en plus avec leurs embarcations. Ce qui attire surtout les kayakistes, c'est la remarquable diversité des panoramas marins des Îles-de-la-Madeleine ainsi que l'intensité visuelle de certains horizons dont on ne pourrait s'abreuver nulle part ailleurs.

Bien assis dans le kayak, on y admire, *grosso modo,* quatre types d'environnements. Celui des parois de grès rouge où alternent les œuvres sculptées par l'érosion – tunnels, cavernes, pots de fleurs, grands caps qui deviennent monolithes puis chandelles fragiles avant de fondre en mer. Celui des falaises composées d'autres matières géologiques – calcaire, schiste, albâtre – qui s'inscrivent en alternance subite dans la palette des couleurs insulaires. Celui des plages et des dunes, habituellement profilé jusqu'à se dissiper dans un infini vaporeux d'une grande douceur. Celui enfin des immenses lagunes intérieures qui sont généralement plus à l'abri des vents et fréquentées par des nuées d'oiseaux marins.

À ces écosystèmes ou à ces différents milieux naturels, on doit ajouter l'élément éolien qui domine le climat des Îles. Impossible de ne pas prendre en considération ce facteur incontournable, qui exige des kayakistes une faculté d'adaptation remarquable ou une maîtrise considérable des techniques de navigation. Difficile de prévoir des excursions plus avant que le jour même puisque ce sont la puissance et la direction du vent qui décident du programme. À moins qu'on ne trouve plaisir à les défier. Mais il y a toujours un endroit à l'abri, une baie protégée, une lagune moins exposée ou un rivage sur lequel les vents ont moins de prise. De là l'importance de connaître les îles ainsi que l'effet du vent sur ces différents secteurs... ou de connaître ceux et celles qui possèdent

Les falaises de grès rouge caractéristiques de l'archipel, île d'Entrée
Pages précédentes : Paroi de l'île Saint-Louis, la plus grande île du fjord sur le Saguenay

cette science et qui peuvent nous dire où déjouer le souffle océanique.

Quant à l'éternelle question «Quelle est la meilleure période de l'année pour aller kayaker aux Îles?», la réponse est unanime de la part des insulaires et des visiteurs les plus assidus: septembre! Pour son climat tempéré qui demeure estival. Ses vents plus discrets. Ses lumières géniales. Son calme. Juillet et août sont naturellement des mois très agréables, mais la pression touristique s'avère toutefois en état de surchauffe. Juin, quoique venteux et plus froid, représente également un choix très intéressant en raison de la merveilleuse disponibilité des Madelinots, de la présence des oiseaux marins en période de nidification, de la verdure luxuriante des collines et, il ne faut surtout pas l'oublier, de la saison de pêche au homard et au crabe...

Pas surprenant, donc, que les Îles-de-la-Madeleine incarnent pour plusieurs voyageurs une destination idyllique où il faut poser pied au moins une fois dans sa vie. Une sorte de pèlerinage indispensable pour prétendre à une connaissance exhaustive du Québec. Les images des kayakistes sous le soleil, sur une mer bleue à fendre l'âme, devant de hautes parois rougeâtres ciselées comme de la fine dentelle, parlent suffisamment d'elles-mêmes pour arriver à nourrir le plus persistants des rêves. Lorsque s'y ajoute la vision des grèves et des dunes de sable blond qui s'étirent au-delà du regard, l'enchantement devient total. Ailleurs, ce sont les maisons traditionnelles qui ornent de leurs couleurs vives les buttes dénudées ou le mince fil d'horizon qui épouse la rive. Partout où l'œil se projette, partout où vise la lentille, pendant que

l'on pagaie dans les baies, dans les lagunes ou en pleine mer, tout n'est que beauté, ravissement et dépaysement.

L'archipel des îles de la Madeleine compte principalement six îles qui sont reliées entre elles par des dunes. L'île d'Entrée est détachée du groupe et habitée par une petite communauté d'irréductibles anglophones, tout comme la Grosse Île, au nord de l'archipel. Les autres îles, îlots et rochers sont au large, privés ou protégés.

Au sein de cet environnement en constante mouvance, par l'érosion et le déplacement des dunes, on trouve 300 km de plages et 240 espèces d'oiseaux. Pour donner cœur et âme à cette fresque naturelle qui peut s'affirmer avec autant de rudesse que de suavité, il faut une race de monde qui se tient debout en parlant haut et fort contre le vent, prête à affronter la mer déchaînée. Les Madelinots sont taillés à cette mesure. Autrefois pêcheurs de morue et chasseurs de phoque, ils sont devenus pêcheurs de homard, de crabe, de pétoncle, de hareng et de tout ce que l'océan donne en tribut à ceux qui lui confient leur existence.

Quand on va aux Îles, on veut jouir pleinement de cet environnement et des éléments en élevant des châteaux de sable, en marchant sur l'écume poussée par la dernière vague à s'échouer sur le rivage, en faisant de l'équitation, du vélo, du cerf-volant et tous les sports de voile, de la plongée en apnée dans les grottes et, bien entendu, du kayak de mer. On veut également voir tout ce qu'on trouve en ce pays et qui n'existe pas chez nous. Voilà pourquoi il faut prendre le temps et se laisser aller à la découverte.

* Source: Parcs Canada.

～ Cap-aux-Meules

Le Parc Gros-Cap

L'île du Cap aux Meules accueille tous les visiteurs qui arrivent par la mer, par les traversiers de la compagnie CTMA, en partance de Montréal ou de Souris à l'Île-du-Prince-Édouard. Les kayakistes s'y retrouvent principalement au Parc de Gros-Cap, une avancée rocheuse spectaculaire entièrement occupée par un terrain de camping on ne peut plus panoramique ainsi que par l'Auberge de jeunesse des Îles. Sur place, il est possible de louer des embarcations et de participer à des sorties guidées. La plupart des pourvoyeurs de kayak de mer sur les Îles utilisent ce site, en raison de sa facilité d'accès à partir d'une très belle plage et de ses attraits naturels éblouissants. Qui plus est, l'endroit se prête bien à la randonnée pour les kayakistes de niveau débutant ou intermédiaire puisque la rive située au nord-est du Gros-Cap subit moins l'influence des vents dominants et demeure plus calme entre la petite avancée de grès et Cap-aux-Meules.

L'érosion transforme rapidement les îles de la Madeleine, Gros-Cap, île du Cap aux Meules

Guillemot à miroir

Dès les premiers coups de pagaie, le spectacle féerique des falaises érodées se révèle à nous. Frédéric Côté, guide et coordonnateur de l'activité pour le Parc de Gros-Cap, nous en a fait découvrir toutes les subtilités et toutes les nuances. Premier étonnement : l'omniprésence des guillemots à miroir qui nichent sur les parois du cap et qui composeraient une petite colonie de plus de 200 individus. Ces oiseaux marins au vol nerveux nous passent sous le nez en battant frénétiquement des ailes, alors que les premiers pots de fleurs de grès rouge apparaissent au bout de la pointe. Le vent, l'eau et l'hiver creusent des criques profondes qui s'élargissent d'année en année, dévorant obstinément l'archipel qui est condamné à se dissoudre dans le golfe d'ici quelques millénaires. En kayak, on pénètre facilement dans les plus grandes d'entre elles. Mieux encore, la mer creuse des tunnels dans ce gruyère ocre, des passages suffisamment grands pour y pénétrer avec nos kayaks, entrant d'un côté de la paroi et ressortant de l'autre. La magie y opère sur le coup, dans l'obscurité que perce

la résurgence et dans une ambiance sonore qui amplifie simultanément la voix et le fracas des vagues.

Tout au bout du Gros-Cap, une autre calanque profonde s'ouvre comme un amphithéâtre naturel. Il s'agit de l'endroit où l'on trouvait le monolithe le plus connu des Îles, le fameux éléphant de pierre avec sa trompe qui trempait dans l'eau. La bête énorme mais chancelante n'a pas pu résister à l'usure du temps et son arche s'est effondrée en novembre 2002, lors d'une tempête mémorable, ne laissant plus qu'une colonne précaire dont personne n'oserait parier sur l'avenir, à moins que ce ne soit sur la date de sa désintégration.

Le côté ouest de Gros-Cap étant très peu profond, il faut s'orienter au large en direction de la dune de la Martinique, régulièrement exposée aux grands vents. La navigation en direction est, dans la baie de Plaisance jusqu'à Cap-aux-Meules, semble plus aisée parce que moins soumise à la tyrannie des vents, tout en demeurant des plus agréables visuellement.

Belle-Anse

Sur le versant nord de l'île du Cap aux Meules se trouve la quintessence des falaises de grès rouge avec les parois de la Belle Anse. Le long rivage escarpé aux formes incroyables et audacieuses s'enflamme littéralement sous le soleil couchant. Année après année, le paysage y évolue sans cesse, créant des œuvres fabuleuses, mais rognant irrévocablement sur le littoral qui rétrécit presque à vue d'œil.

Les kayakistes sont sans doute les mieux placés pour en apprécier toute la majesté,

Le pilier de Belle-Anse, Fatima, île du Cap aux Meules

même si les marcheurs peuvent accéder à plusieurs points de vue spectaculaires. On met d'ailleurs facilement les kayaks à l'eau à partir d'un site aménagé au bout du chemin P.-Thorne, dans la paroisse de Fatima. De là, on accède à un environnement géologique et marin absolument unique, composé d'une succession soutenue de baies encaissées, de cavernes petites ou immenses dans lesquelles les vagues viennent exploser avec fracas, de tunnels dans lesquels on peut pénétrer, de colonnes de pierre qui se dressent en mer ou qui forment des arches rattachées à la côte.

Sur ce terrain qui peut s'avérer mouvementé, Michel Larocque et Philippe Morrissette, deux kayakistes aguerris qui organisent de courtes et de longues excursions avec Expédition Odyssée, s'amusent comme des poissons dans l'eau. En s'abandonnant au rythme de la vague, ils se jouent d'un rivage où chaque détour leur procure un défi sportif ou un plaisir exaltant. Le point le plus fort de cette surenchère d'ébahissements demeure sans doute le cap au Trou, une énorme intrusion de la mer à l'intérieur des terres. L'érosion y forme un véritable cratère et ce n'est que la présence d'une passerelle de pierre qui empêche, pour l'instant, cette ouverture de se transformer en une grande crique.

Ces formations rocheuses s'étendent sur plusieurs kilomètres, bien au-delà du chemin de la Belle-Anse et du cap du Phare, presque jusqu'aux abords de l'anse de l'Étang-du-Nord.

Île du Havre Aubert

L'île du Havre Aubert ne manque pas d'endroits où l'on peut réaliser de belles sorties en kayak de mer. La côte de l'Anse-à-la-Cabane y est éblouissante. On peut l'explorer sans problème à partir du quai de pêche, notamment. Le Bassin, où se trouve le Centre nautique de l'Istorlet, représente également un autre plan d'eau remarquable, d'autant plus qu'il est très souvent protégé des vents qui sévissent. Les gens de l'Istorlet, une colonie de vacances axée sur les activités nautiques, ont d'ailleurs été parmi les tout premiers à offrir des excursions en kayak de mer aux Îles, après l'époque glorieuse de la planche à voile, un sport qui est d'ailleurs loin d'être mort au Havre-Aubert. L'Istorlet réalise toujours un nombre impressionnant de sorties en kayak avec des touristes et c'est à leur suite que nous nous sommes aventurés sur l'un des sites les plus extraordinaires de la région, le Sandy Hook. Cette longue pointe prolonge du côté de la mer la dune du Bassin et la plage du Havre. Au total, on y longe près d'une quinzaine de kilomètres de plage irréelle sur laquelle on vit souvent la plus bienheureuse des solitudes.

Selon les vents et les conditions de mer, on y navigue sur une rive ou l'autre, côté mer ou côté archipel dans des eaux peu profondes, limpides et chaudes. On accède au versant du golfe par le Goulet, qui permet de sortir de la baie intérieure du Bassin. On

Pause dîner au Sandy Hook

Grotte à Gros-Cap

peut aussi se rendre au bout du chemin du Sable, jusqu'au stationnement où, après avoir enjambé la dune, on atteint la plage sur laquelle se déroule chaque année le fameux concours de châteaux de sable des Îles. Pour naviguer à l'intérieur de la baie de Plaisance, on met à l'eau au quai situé à l'entrée de Petite-Baie (cap Gridley) ou à partir de la Pointe-à-Fox.

Il faut se réserver une journée chaude et calme, s'il s'en trouve, pour vivre cette expérience voluptueuse qui consiste à naviguer paisiblement sur des eaux dont la couleur rivalise avec l'émeraude des îles beaucoup plus au sud. En prime, du sable blond à n'en plus finir, du ciel bleu à s'en mettre plein l'horizon. Puis la chance irrésistible d'accoster sur ce rivage paradisiaque pour monter la bâche ou pour s'étendre sous le soleil dans la plus jouissive des oisivetés.

Phénomène irréversible, le Sandy Hook s'allonge ostensiblement d'année en année. Il s'étire en recueillant le sable rouge, arraché par l'érosion aux côtes des Îles, qui devient blond une fois lavé par les eaux salines. Ainsi, le passage qu'utilisaient encore récemment les traversiers entre l'archipel et l'île d'Entrée est en train de se refermer, ce qui oblige les bateaux de fort tonnage à contourner cette dernière. L'île devrait donc être rattachée à l'archipel dans un avenir prévisible, mais assez lointain pour que ses habitants aient amplement le temps d'apprendre le français.

Pour les kayakistes, l'île d'Entrée est accessible à partir du Sandy Hook. Dans de bonnes conditions, on peut effectivement envisager de longer le Sandy Hook jusqu'à ses dernières émergences, au bout de la Pointe du Bout du Banc, puis de continuer à naviguer dans des eaux peu profondes jusqu'à l'île voisine, avec, comme difficulté principale, la traversée du chenal de La Passe, où l'on observe généralement de bons clapotis. Une fois aux abords de l'île d'Entrée, on entre dans un autre univers...

～ Île d'Entrée

Petit monde clos, recroquevillé sur lui-même, l'île d'Entrée apparaît au loin comme une plaque rocheuse inclinée, surmontée de quelques buttes, dont la plus haute élévation de l'ensemble de l'archipel : le Big Hill (177 m). Quelques maisons reflètent les rayons du soleil. La noirceur venue, les lumières scintillant dans la nuit nous rappellent qu'il s'agit de la seule île habitée qui soit détachée de l'archipel. Une petite communauté anglophone d'environ 150 personnes, principalement d'origine écossaise, occupe ce rocher émergé de 4 km sur 2,5 km. Elle vit de pêche et d'agriculture.

On ne peut considérer l'île d'Entrée comme une destination kayak populaire ou facile mais, avec un peu d'organisation, les bons kayakistes peuvent s'offrir cette perle incomparable et la découvrir avec beaucoup d'émotion. Ils peuvent effectuer la traversée en kayak de mer à partir du Sandy Hook ou prendre une entente avec les bateliers de Cap-aux-Meules pour le transport des embarcations à l'aller ou au retour. Une fois sur place, il faut une météo au beau fixe et une mer paisible pour envisager le tour complet de l'île.

Ceux et celles qui profitent de ce privilège peuvent admirer mieux que quiconque les grands caps d'albâtre et de grès sur

Port de pêche, Havre-Aubert

lesquels nichent de nombreuses colonies d'oiseaux marins dont quelques macareux, des fous de Bassan, des sternes et plusieurs espèces plus communes. Le secteur se

La grave, Havre-Aubert

trouvant entre le cap Rouge et le cap Noir rappelle les falaises de Belle-Anse avec son enchevêtrement de cavernes et de formations étonnantes, dont une grande arche formée dans un rocher isolé sur la pointe du cap Rouge. Le spectacle de cette nature frémissante de vie y est parfois bouleversant tant il réunit d'éléments exceptionnels.

Les kayakistes qui veulent mieux comprendre la géomorphologie des Îles et l'impact de l'érosion sur l'expansion du Sandy Hook doivent absolument réaliser l'ascension du mont Big Hill. Du sommet, par beau temps, on a une vue imprenable sur l'ensemble de l'archipel. On y voit même, en transparence dans l'eau bleue, la pointe de sable qui termine la barkhane du Sandy Hook et qui s'avance irrémédiablement vers l'île d'Entrée.

～ Havre-aux-Maisons

On n'aurait pas assez de tous les beaux jours de l'été pour explorer à fond l'île du Havre aux Maisons et son immense lagune dont chaque recoin foisonne de splendides surprises. En mettant à l'eau à partir de Petite-Baie ou près de la pointe Nelson, de part et d'autre du pont, on accède rapidement à des environnements très différents. Celui de Petite-Baie nous permet de reluquer à loisir les superbes maisons aux couleurs éclatantes. L'entrée de la baie est fermée par la verdoyante île Paquet sur laquelle se sont installées une colonie de sternes et une autre de goélands.

Bien visible de la route et voisin de l'île Paquet, le rocher de l'île Rouge est littéralement recouvert de cormorans à aigrettes et de goélands à manteau noir qui, en juin,

Petite-Baie, Havre-aux-Maisons

demeurent sur leurs nids ou tout près pour protéger leurs petits encore duveteux. En s'approchant délicatement, il est possible de respirer l'odeur acide des excréments qui recouvrent le rocher et, ce qui est infiniment plus plaisant, de contempler les oisillons malhabiles des goélands qui pataugent ou les jeunes cormorans déjà couverts de noir qui s'élancent des parois dans un vol incertain, trahissant ainsi leur âge.

La Dune du Nord se profile au large et invite à des dizaines de kilomètres de navigation au bord de la plage puisqu'elle se poursuit jusqu'au bout de l'archipel, vers la Grosse Île et celle de Grande Entrée.

~ Grande Entrée et ailleurs

C'est tout au bout de l'archipel qu'on trouve la plus belle plage des îles, selon plusieurs, soit celle de Old-Harry, à l'extrémité de la Pointe de l'Est. Pour kayaker à partir de la plage, il faut faire un portage du stationnement à la mer. On peut cependant mettre directement à l'eau en se rendant au vieux quai de la Pointe-de-Old-Harry située à quelques minutes du stationnement de la plage.

Sur l'île de Grande Entrée, nombreux sont les estivants qui viennent au Club Vacances Les Îles pour s'initier au kayak en excursion guidée ou pour louer une embarcation afin de pagayer sur les eaux abritées du Bassin-aux-Huîtres.

Les kayakistes les plus téméraires ou les mieux préparés saisissent parfois l'occasion offerte par quelques jours de bonnes prévisions météorologiques pour tenter la sortie vers l'île Brion située à 16 km au nord de Grosse-Île.

Le rocher de l'île Rouge est littéralement couvert de cormorans et de goélands à manteau noir
Pages suivantes : Au pied du cap Alright et de son phare, Havre-aux-Maisons

Côte-Nord

Jusqu'à récemment, et encore aujourd'hui, la Côte-Nord a été une région difficile à nommer, à délimiter, à cerner géographiquement. Pour les auteurs et les explorateurs des siècles passés, elle a représenté l'amorce des terres ingrates du Labrador, ce territoire immense, effrayant, flou et sauvage que les pêcheurs européens, principalement basques, ont fréquenté à partir du XVIe siècle. Ce sont ensuite les Amérindiens et les pêcheurs de diverses provenances (Acadie, Québec, Terre-Neuve, Îles-de-la-Madeleine) ainsi que les nouveaux arrivants de dizaines de pays qui ont définitivement jeté l'ancre dans les baies et les anses de son bord de mer sans fin. Ils sont demeurés coupés du monde jusqu'à ce que la route s'y rende; même aujourd'hui, l'extrémité orientale de la région, la Basse-Côte-Nord, reste isolée.

À partir de 1930, l'exploitation des abondantes richesses de ces grands espaces, que l'on croyait stériles, a déclenché une expansion phénoménale. De nouveaux noms sont apparus sur la carte. Des villes modernes ont poussé. Certaines continuent sur leur lancée, alors que d'autres ont disparu avec les industries qui les avaient fait naître.

≈ Entre la mer et l'eau douce

Sur un versant, ça sent la mer, ça goûte la mer. Sur l'autre, on entend les grandes rivières tumultueuses qui dévalent en trombe sur le rocher. On devine la forêt au loin alors qu'on traverse les vastes marais où pousse la «chicoutai». C'est la Côte-Nord dans toute sa noblesse et dans toute sa rudesse !

La plage de Havre-Saint-Pierre, Minganie

Bien des régions du Québec peuvent prétendre au titre de paradis du plein air, mais s'il est un éden de grands espaces et de nature généreuse, c'est bien sur la Côte-Nord qu'on le trouve. La région constitue probablement le dernier refuge des véritables mordus d'aventure, ceux qui sont viscéralement épris de liberté et pour qui l'environnement rebelle de la *Terre de Caïn* reste un gage d'authenticité et de vérité. Le secteur de Tadoussac et de la Haute-Côte-Nord, lui, s'est développé beaucoup plus que tout le reste de la région sur le plan touristique. Il offre plusieurs services généralement liés à l'observation des mammifères marins ou aux activités nautiques dont le kayak de mer.

On dit parfois que l'été y passe en coup de vent et ne s'y attarde que quelques jours. On y sait la mer glacée et le brouillard insistant. Mais pourquoi aime-t-on tant la Côte-Nord? Pourquoi ceux qui la connaissent lui vouent-ils une telle dévotion? Pourquoi le seul sentiment qu'elle nous inspire est-il une passion irraisonnée? Peut-être en raison de sa démesure : 1 250 km de rivage et un territoire, aussi fabuleux qu'immense, qui pénètre jusqu'au cœur du Québec.

Aguanish, une des belles plages de sable fin de la Minganie

...s marin, paradis de plein air

〰 Un paradis pour le kayak

Ce qu'il y a ici de particulièrement attirant pour tous les adeptes de kayak de mer, c'est que toute la Côte-Nord n'est, à peu de choses près, qu'une longue, très longue plage de sable fin. Quelques falaises rocheuses forment bien, çà et là, un trait d'union entre les vastes baies blondes, mais elles ne font qu'ajouter relief et couleurs à l'environnement côtier. La berge demeure aisément accessible aux kayakistes puisque chaque municipalité a son quai, géant ou minuscule, grouillant d'activité ou à l'abandon. Ce sont autant d'endroits où l'on peut utiliser les rampes de mise à l'eau, habituellement sans frais, ou profiter des plages avoisinantes pour lancer son bateau.

À Tadoussac, on accède à l'eau à partir de l'ouest de la plage, par une rampe qui permet de descendre sur la rive avec son véhicule à marée basse. Aux Bergeronnes, le quai convient à la mise à l'eau, mais elle y est plus facile à marée haute. Aux Escoumins, la plage qu'on voit au fond de la baie, et sur laquelle on se rend par l'extrémité du quai des Pilotes, constitue un lieu de mise à l'eau intéressant puisqu'il s'ouvre immédiatement sur les territoires marins les plus propices à l'observation des baleines. Il en est ainsi tout au long de la Côte-Nord, de quai en quai.

Pour jeter l'ancre
Plusieurs campings donnent directement sur la rive, permettant l'accès à l'eau à partir du site de campement ou non loin. C'est le cas, entre autres, aux Bergeronnes avec le célèbre Paradis Marin, le premier site de camping

dédié au kayak de mer. Depuis quelque temps, on remarque aussi les installations de Mer et Monde à l'anse à la Cave. On trouve également des campings côtiers à Forestville, dans la baie Verte, à Pointe-Lebel et à Pointe-des-Monts. À Pointe-aux-Anglais, il est possible de camper gratuitement aux abords de l'une des plus belles et des plus longues plages de la Côte-Nord avec ses 11 km en continu. Il y a deux autres campings riverains à Rivière-Pentecôte, l'un dans le golfe et l'autre à l'embouchure de la rivière. Passé Sept-Îles, deux campings très intéressants sont situés à l'embouchure de la fabuleuse rivière Moisie, de part et d'autre de la route 138. Plus loin, on campe directement au bord de la mer, à Longue-Pointe-de-Mingan et à Havre-Saint-Pierre. De nouveaux lieux de camping propices au kayak s'ajoutent chaque année.

Par ailleurs, la Côte-Nord démontre encore une certaine tolérance envers les squatters motorisés qui savent détecter des endroits où s'installer sans déranger, bien que cette pratique soit également de plus en plus limitée par les réglementations municipales qui favorisent, à juste titre, les entreprises de camping locales. Il reste toutefois de nombreux endroits où l'on peut garer une autocaravane durant le jour pour accéder à un site de mise à l'eau tout près. Il s'agit souvent de haltes routières, de plages en bordure de la route ou de quais peu fréquentés. On gagne aussi à explorer les limites de plusieurs villages, surtout en Minganie, pour découvrir les accès locaux aux plages. Ce sont autant de lieux spectaculaires et tranquilles où l'on peut généralement s'arrêter et kayaker sans être importuné. On n'a habituellement pas à chercher bien loin pour trouver un endroit merveilleux où s'engager en mer et partir à la découverte de la côte à bord de son kayak. Ces lieux idylliques se présentent à nous les uns après les autres tout au long de la route 138.

Camping Mer et Monde, Les Escoumins, Haute-Côte-Nord

Archipel des îles de Mingan, Moyenne-Côte-Nord

Plages, archipels et parcs

À partir de la pointe de la baie des Escoumins ou de Sainte-Anne-de-Portneuf et de son immense banc de sable, on longe la côte tout en appréciant une faune ailée exceptionnellement dense et diversifiée. La grande baie de Colombier est tout aussi fascinante. Îlets-Jérémie, Godbout, Baie-Trinité... On a l'embarras du choix.

En Minganie, le secteur de l'île Michon, entre Aguanish et Natashquan, est tout à fait sublime. Il représente parfaitement le type d'environnement côtier de la Basse-Côte-Nord avec ses nombreuses îles de granit. Les immenses baies de Natashquan et d'Aguanish possèdent également un caractère irrésistible. Et, au plus loin que la route 138 nous conduise, l'estuaire de la rivière Natashquan a l'allure d'un fleuve de plus de 2 km de largeur à son embouchure, tout aussi excitant que celui de la Moisie. De cet endroit, une plage de 43 km conduit à Kegaska et aux portes de la Basse-Côte.

Il est partout indispensable de prendre en considération l'amplitude des marées qui vident toutes les baies, même les plus importantes, ne laissant qu'une batture de boue, d'algues glissantes et des champs de pierres, qu'on appelle «cayes», aux kayakistes partis à marée haute et revenus à marée basse dans un décor radicalement différent.

On croise également, au fil de la Côte-Nord, certains des parcs nationaux ou régionaux les plus intéressants du Québec avec, entre autres, le Parc marin du Saguenay – Saint-Laurent. Le Parc national du Saguenay, de juridiction québécoise, occupe la portion terrestre de l'embouchure du Saguenay et déborde sur le fjord. En aval, le Parc régional de Pointe-aux-Outardes et le Parc régional de l'archipel des Sept Îles méritent plus qu'un détour, alors que le Parc national du Canada

dépassant guère 4 °C sauf aux endroits où les hauts-fonds permettent un réchauffement. Y kayaker sans vêtements isothermiques et l'équipement de sécurité complet serait suicidaire.

L'archipel des Sept Îles

La Côte-Nord se divise en deux sous-régions touristiques : Manicouagan, à partir de Tadoussac jusqu'à passé Godbout, et Duplessis, qui occupe tout le reste jusqu'à Blanc-Sablon et la pseudo-frontière du Labrador.

À l'intérieur de la région de Duplessis, on distingue trois territoires ayant vraiment chacun leurs caractéristiques propres, dont Port-Cartier/Sept-Îles, qui représente le milieu urbain, industriel, commercial et cosmopolite. Deuxième ville portuaire au Canada après Vancouver, il est situé dans un environnement naturel tellement impressionnant qu'il a happé des milliers d'hommes et de femmes provenant de partout dans le monde. Les Ilnus de la nation montagnaise vivent sur ce territoire depuis longtemps et se concentrent maintenant dans les communautés d'Uashat (Sept-Îles) et de Mani-Utenam.

Archipel des Sept Îles, île du Corrosol, anse aux Voiliers

de l'Archipel-de-Mingan constitue un pôle d'attraction majeur pour les kayakistes. Quant à la Réserve faunique de Port-Cartier – Sept-Îles, à l'intérieur des terres, elle offre un panorama forestier très différent et garni de plusieurs lacs invitants.

En descendant vers l'est, on rencontre les archipels légendaires, véritables dédales d'îles, d'îlots, de bancs de sable et de récifs où tous les kayakistes aventuriers rêvent de naviguer. Certes, on l'a dit, les eaux de l'estuaire et du golfe, qui débute à Pointe-des-Monts, sont extrêmement froides, ne

Le Parc régional de l'archipel des Sept Îles regroupe sous son aile toutes les îles de la baie des Sept Îles. Il recèle de nombreux attraits naturels fascinants pour les adeptes de plein air, en particulier pour les randonneurs et les kayakistes. Les deux principaux centres d'intérêt demeurent les îles La Grande Basque, où l'on trouve des aires de camping, et du Corossol, qui abrite une réserve ornithologique.

Un immense minéralier dans le port de Havre-Saint-Pierre et le kayak minuscule

∼ Basse-Côte-Nord, le pays du bout

À l'autre bout de ce que Jacques Cartier, un peu effrayé par ce territoire austère, a appelé «la terre que Dieu donna à Caïn», c'est la Basse-Côte-Nord. Voilà bien un bout du monde non accessible par la route et qui fait fantasmer bon nombre de kayakistes en quête d'émotions fortes. J'ai longtemps cru que ce pays débutait là où la route se terminait avant 1998, soit à Havre-Saint-Pierre. Eh non! La Basse-Côte-Nord va très exactement de Kegaska à Blanc-Sablon, dans une alternance étonnante de villages francophones, anglophones et autochtones. Pour s'y rendre, on ne peut encore compter que sur le *Nordik Express*, un navire mi-passager mi-fret qui approvisionne tous les villages de la région ainsi que l'île d'Anticosti. On peut donc se faire déposer dans un village et repartir d'un autre après quelques jours d'excursion.

Chargement des kayaks sur le Nordic Express, *Sept-Îles*
À droite : l'île du Fantôme, archipel de Mingan

∿ Minganie chérie

À l'ouest de la Basse-Côte-Nord, faisant partie de ce qu'on désigne aussi comme la Moyenne-Côte-Nord, se trouve notre Minganie chérie, comme une maîtresse dont on ne sait ni ne veut repousser les avances. Elle s'étend de la rivière Moisie jusqu'à Pointe-Parent, un hameau de la MRC de Natashquan où se termine maintenant la route 138 dont le segment nord-côtier est considéré par plusieurs comme la route la plus spectaculaire du Québec. La marque de commerce de la Minganie demeure son archipel et son parc national avec ses extraordinaires monolithes, ses macareux colorés et les baleines qui s'ébattent dans cet environnement virginal.

On la connaît aussi pour ses petits villages incroyablement pittoresques dont les seuls noms arrivent à nous émouvoir : Rivière-au-Tonnerre, le joyau bucolique ; Longue-Pointe-de-Mingan et Mingan, les perles de mer ; Natashquan, la vedette qui fait rêver ; Baie-Johan-Beetz, le refuge paisible ; Havre-Saint-Pierre, la petite capitale et la terre des Cayens ; Mani-Utenam, Magpie, Rivière-Saint-Jean, Sheldrake et Aguanish... Autant de hameaux merveilleux que les kayakistes les plus avisés découvrent avec ravissement l'été durant.

Le Parc national du Canada de l'Archipel-de-Mingan

L'archipel des îles de Mingan s'étire sur près de 155 km en s'éloignant des côtes de 3 km au plus dans le secteur qui s'étend de Longue-Pointe-de-Mingan jusqu'à Aguanish. Depuis 1984, les joyaux de la Minganie sont sous la protection du gouvernement

Départ d'expédition vers les îles de Mingan, Havre-Saint-Pierre

Le rorqual à bosse termine son mouvement de plongée, Minganie

canadien, qui a créé le Parc national du Canada de l'Archipel-de-Mingan dont la mission est de mettre en valeur ce trésor. Une quarantaine d'îles profitent donc d'un statut spécial qui contribue à préserver une flore extraordinairement abondante et diversifiée, comme l'a décrite le frère Marie-Victorin. Les monolithes, des formations géologiques exceptionnelles, se dressent un peu partout dans l'archipel ; les spécimens les plus remarquables, comme la fameuse Bonne Femme, se trouvent sur l'île Niapiskau.

Le parc propose principalement des activités d'interprétation pour les visiteurs qui débarquent sur les îles où les conduisent les bateliers basés à Havre-Saint-Pierre. Sur le plan nautique, le kayak de mer est en train d'y prendre une place importante, bien que le parc ne joue pas le rôle de pourvoyeur. Ainsi, les kayakistes peuvent s'y rendre de façon autonome ou participer aux excursions guidées de trois ou cinq jours dont l'organisation est entièrement laissée à l'entreprise privée, notamment un partenaire majeur, le groupe Expédition Agaguk en activité à Havre-Saint-Pierre depuis plus d'une décennie.

Nous avons accompagné l'un de ces groupes s'engageant, le lundi matin, dans un périple de trois jours au large comprenant deux nuits de camping sur l'île Niapiskau. Comme les deux premières journées furent probablement les deux plus belles de l'été, l'aventure s'est avérée une expérience inoubliable pour tous les participants. En partant, les 13 km de pagaie sur des eaux étonnamment calmes nous ont permis de nous repaître à satiété de panoramas fabuleux. Des oiseaux marins sont venus nous saluer de

Île Niapiskau, Parc national du Canada de l'Archipel-de-Mingan

Feu de camp, île Niapiskau

toutes parts : goélands à bec cerclé, balbuzards pêcheurs, mouettes de Bonaparte, sternes, grands chevaliers sur le rivage, Petits Pingouins, Guillemots à miroir, et, la chance aidant, macareux moines passant en coup de vent, suivis d'une foule d'autres oiseaux qu'on a tenté d'identifier. Naturellement, les phoques gris ont montré leur tête régulièrement ou sont allés se chauffer au soleil sur les rochers. Les petits rorquals n'ont jamais été bien loin non plus. Tout œil averti a pu apercevoir leur souffle et leur dos au loin ; la petite baleine, plus curieuse, est venue croiser dans les mêmes eaux que nous.

À la fin de l'après-midi, les kayakistes ont jeté l'ancre à un site de campement qui n'a pas fini de les ravir. D'ailleurs, on y passerait une vie avec son guide d'identification botanique à la main, à tenter de mettre un nom sur l'infinité de plantes de bord de mer qui prolifèrent là ! Le soir, les aurores boréales, la Voie lactée ou les étoiles filantes ont mené le spectacle, ponctué des histoires et des rires de nos compagnons autour d'un feu qui nous a fait baisser les yeux de temps à autre.

Ces endroits sont magnifiquement aménagés, avec, sur Niapiskau, des emplacements boisés isolés les un des autres, des carrés de tente, des tables de pique-nique et des places

Guillemot à miroir niché sur une paroi calcaire ; groseilles sauvages ;
zigadène glauque ; canard colvert à l'envolée

Macareux moine au « décollage »

pour le feu dotées d'une grille. En plus, on trouve des emplacements de feu de camp sur le rivage et le bois est fourni. D'autres sites sont totalement différents, comme sur l'île Nue, qui est dépouillée de végétation haute et exposée à tous les vents mais qui donne des perspectives visuelles incroyables. Le parc offre 9 sites de camping et 42 emplacements sur 6 îles. Il est essentiel de réserver à l'avance et d'acquitter les frais de location en plus du droit d'accès au parc.

L'île aux Perroquets

Au loin, dans le brouillard, on distingue un phare et sa lumière, comme suspendus au-dessus des eaux. C'est l'île aux Perroquets, l'habitat privilégié du coloré macareux moine. S'y rendre à partir de Longue-Pointe-de-Mingan constitue un périple hasardeux puisque l'île se trouve loin au large, mais des conditions météorologiques idéales et stables peuvent inciter à l'aventure. Il est toujours touchant d'approcher une île où se dressent un phare et ses bâtiments, là où des familles, des générations de gardiens, ont passé toute leur vie dans l'isolement total. On sent presque leurs fantômes se glisser entre nous et les vestiges à l'abandon! Tout autour, les macareux, qui nichent dans des terriers creusés au sommet de la falaise, voltigent frénétiquement. On aperçoit très visiblement leur bec de perroquet aux couleurs étonnantes. Un petit rorqual s'ébrouant tout près ajoute l'excitation à l'admiration. Habituellement, il sort à plusieurs reprises le long de nos

L'île aux Perroquets sort du brouillard

Baie-Johan-Beetz

embarcations, nous surprenant chaque fois par la détonation de son souffle à laquelle succède un silence dramatique.

La douce baie
Baie-Johan-Beetz incarne toute la beauté de la Minganie. Devant les maisons blanches posées sur les rochers trône la célèbre résidence du naturaliste et artiste Johan Beetz, aujourd'hui proclamée monument historique. Une visite obligée.

Le village semble posé dans un environnement arctique dénudé et rocailleux. C'est d'ailleurs une magnifique vision de cette nature caractéristique de la Minganie et de la Basse-Côte qu'offrent les abords de cette superbe baie abritée ainsi que la côte sur laquelle elle s'ouvre. La rive basse est sculptée dans le granit rose auquel l'érosion des glaces a donné de délicieuses rondeurs. L'aigle pêcheur y pratique son art de façon d'autant plus saisissante qu'il ne se soucie en rien des kayakistes l'admirant à proximité. Goélands et mouettes se disputent sur les écueils ou sur le rivage. En fond de scène de ce spectacle merveilleux, le village pittoresque et l'extraordinaire maison jaune et rouge.

L'endroit où l'on peut mettre le plus facilement à l'eau les kayaks se trouve en plein cœur du village, sur un tout petit bout de plage ou sur la rampe voisine située à la hauteur du bureau de poste. Dans le secteur du quai ou près du pont, les sites de mise à l'eau abondent mais, au lieu de la plage de sable, on n'y trouve que du rocher.

Natashquan, la muse

Presque au bout de la route 138, à Natashquan, on saisit sans effort la source de la poésie qui a inspiré l'œuvre de Gilles Vigneault lorsqu'on navigue le long de la grève des Galets. La plage n'a pas de fin. La mer laisse des frissons sur le sable devant le petit groupe de cabanes des Galets qui donne tout son cachet à ce panorama singulier. Et le coucher de soleil s'y fait solennel. On accède à la plage sur le site des Galets, à proximité du bureau d'information touristique.

Le bout du chemin, Pointe-Parent
À droite et pages suivantes : Vestige d'une autre époque gisant sur la plage des Galets de Natashquan

~ Anticosti, le rêve possible

Assis sur l'herbe de la baie Sainte-Claire, le vent chaud porte encore la voix du maître des lieux, le sorcier Louis-Olivier Gamache. Au-delà du *reef* qui se dégage et des petits rorquals qui croisent au large, il raconte l'histoire tragique de son île à ceux qui viennent aujourd'hui y trouver la liberté, la paix, l'extase et l'aventure. Anticosti !

Comme les centaines de navires qui ont fait naufrage sur ses rives, Anticosti s'est échouée dans le golfe du Saint-Laurent avec la valse des continents il y a des centaines de millions d'années. Voilà ce dont témoigne l'abondance incomparable de fossiles qu'on trouve dans chaque roche calcaire.

Pointe Easton, île d'Anticosti

Les Montagnais chassaient l'ours sur *Nâtâkwan* depuis des millénaires lorsque les premiers Européens ont aperçu l'île. Puis, en 1535, Jacques Cartier y a vu à son tour « *une terre de haultes montagnes à merveille* ». En 1603, Champlain l'a nommée Anticosti après avoir cerné les nombreux pièges qu'elle dressait aux navigateurs. Par la suite, Louis Jolliet, le premier aventurier et explorateur d'origine québécoise, en est tombé amoureux après avoir avironné de la baie d'Hudson jusqu'au bout du Mississippi. Seigneur de Mingan et d'Anticosti, il a habité l'île de 1680 à 1690, l'année où William Phips, en route pour Québec, a détruit ses installations.

L'île de paix

Une solitude obsédante se dégage d'Anticosti. Elle représente le refuge de ceux qui rêvent d'un nouveau monde en marge de la modernité oppressante. Les années, la vitesse, la cohue et toutes les affres du continent n'ont pas de prise sur Anticosti. Là, le passage du temps est rythmé par la foulée délicate du cerf en train de paître dans les prairies ; la saison de la vie est marquée par le retour du saumon dans la Jupiter qui l'a vu naître ; les trilobites défient l'éternité, cramponnés aux parois des canyons que l'eau cristalline s'entête à éroder ; les hurlements désespérés des fantômes tentent de percer le brouillard, alors que le soleil s'incline derrière les cathédrales de pierre qui s'avancent dans le golfe. Au-dessus de cet éden que l'humain a apprivoisé, pour le meilleur et pour le pire, l'esprit du Sorcier s'incarne dans chaque arbre et dans chaque pierre.

Chargement pour une expédition de cinq jours, baie de la Tour, Anticosti

L'île d'aventure

Adeptes de plein air et d'aventure qui rêvez d'Anticosti, l'île ne peut pas vous décevoir. Sa faune, d'abord, vous éblouira puisque Anticosti est devenue un vaste jardin zoologique en liberté au début du xxe siècle, alors que le riche chocolatier français Henri Menier en était propriétaire. Après avoir éliminé l'ours, il y a introduit des dizaines d'espèces animales dont le cerf de Virginie, qui compte aujourd'hui un cheptel de 120 000 têtes et qu'on voit à chaque détour. Le renard, le castor, le lièvre, l'orignal s'y sont également bien adaptés, tout comme la grenouille léopard qui a rempli son mandat : lutter contre la population de moustiques. La flore du territoire anticostien est également fascinante. Ne débarquez jamais ici sans quelques guides de botanique !

Comme terrain de jeu, on n'a pas assez de toute une vie pour explorer l'île. À l'élite

des kayakistes et des aventuriers, elle offre plus de 500 km de côte que quelques très rares athlètes, passablement téméraires, ont tenté de parcourir en entier. D'autres, comme nous, l'ont explorée à la pièce et se sont littéralement laissé envoûter. On peut de fait se perdre dans ses pensées durant des heures et des jours à arpenter les plages de galets, à enjamber les amoncellements de bois de rivage et à explorer en kayak les anses sublimes ou les gigantesques baies désertes. Où pourrait-on poser ainsi sa tente sur une baie de 10 km d'envergure et n'y voir personne durant des jours ? À pied, le plaisir suprême consiste à marcher au fond des canyons et sur le lit des rivières, dans l'eau fraîche et limpide, durant des heures, en se baignant sous les cascades et en admirant un environnement unique au monde. Les canyons des rivières Observation, Galiotte, Brick, Chicotte, Kalimazoo et, surtout, de la Vauréal, jusqu'à sa chute fabuleuse, se prêtent bien à cet exercice lorsque l'eau n'y est pas trop haute. Attrait naturel vedette de l'île, la chute Vauréal est désormais au cœur du dernier-né des parcs du Québec, le Parc national d'Anticosti.

Quant au kayak de mer, il s'agit certainement de la façon la plus spectaculaire de découvrir Anticosti, ses colonies d'oiseaux, ses eaux translucides où l'on voit passer les phoques sous l'embarcation ainsi que ses caps colossaux en minces strates karstiques. De larges plaques géologiques, comme des marches géantes qui descendent par paliers, entourent toute l'île. C'est ce qu'on appelle ici le *reef*. Pour les kayakistes, cela signifie que ce plancher de pierre se découvre sur une largeur importante le long d'une bonne

Falaise aux Goélands, à l'est de l'île d'Anticosti

partie de la côte, sauf au pied de la plupart des grands caps ou au creux de certaines baies qui sont bordées de plages de galet escarpées. À marée haute, on navigue sur une couche de 2 à 3 m d'eau tellement claire qu'on y distingue parfaitement le fond marin et qu'on éprouve vraiment l'impression de flotter dans le vide. Cette région intertidale est moins soumise aux vagues du large qui brisent à la limite du *reef*, mais par mauvais temps ou par grands vents, des conditions fréquentes au beau milieu du golfe, cette zone faussement rassurante devient d'autant plus dangereuse que l'on trouve très peu d'endroits d'où s'en échapper. Et même si on réussit à sortir de l'eau en situation d'urgence, on risque fort de se retrouver sur un rivage désert et isolé, complètement coupé de tout lien terrestre.

De là l'idée, lorsqu'on veut kayaker autour de l'île, de la prendre morceau par morceau en profitant de bonnes conditions climatiques, après avoir étudié assidûment les cartes et consulté les prévisions météo. S'il y a quelques héros qui tiennent à en faire tout le tour, bravo pour eux! Ils ont toute notre admiration... Nous incitons tous les autres à prendre la chose mollo. Et puis, d'excellents pourvoyeurs proposent des excursions de plusieurs jours, guidées par des kayakistes expérimentés dans les secteurs de l'île les plus intéressants à ce chapitre. C'est sans contredit le meilleur choix. Ceux qui souhaitent s'engager sur l'île de façon autonome doivent absolument envisager ce qu'on appelle techniquement un voyage «multi-activités»; randonnée pédestre, spéléo, vélo, pêche, photo, botanique et exploration compléteront à merveille leur séjour de kayak. Grâce à ce programme poly-

De haut en bas : Les cerfs de Virginie observent l'intrus ; renard à sang mêlé d'Anticosti ; grand chevalier

Une eau cristalline au point de donner l'impression d'être suspendu en l'air, baie Natiscotec

valent, ces voyageurs auront toujours quelque chose à faire ou à voir.

Sincèrement, ce qu'il y a de plus merveilleux, c'est simplement d'être sur Anticosti. D'avoir la paix. De s'abreuver de ces panoramas divins en toute liberté. D'explorer l'histoire de l'île à travers ses phares, ses petits cimetières, ses épaves et ses maisons abandonnées, toutes hantées par l'esprit omniprésent du Sorcier ou d'autres démons.

Découvrir Anticosti

Anticosti est réservée aux amateurs de plein air, aux voyageurs autonomes et débrouillards ou à ceux qui ont besoin de s'isoler. On s'y rend par avion, généralement de Havre-Saint-Pierre, de Mont-Joli ou de Sept-Îles, possiblement de Québec ou de Montréal ; et par bateau, sur le *Nordik Express* à partir de Sept-Îles ou de Havre-Saint-Pierre. Il est toujours question de ramener un traversier qui accosterait à Port-

Menier, ce qui faciliterait considérablement l'accès à l'île mais diminuerait beaucoup l'intimité qui la caractérise si bien ; cela réduirait aussi la liberté de mouvement dont on jouit, si l'on se fie à l'expérience précédente.

Pour la découverte, on peut choisir comme camp de base l'Auberge de la Pointe-Ouest sur l'un des sites les plus enchanteurs de l'île, Baie-Sainte-Claire, dans une formule d'hébergement très souple. Autres bonnes options, la Pointe-Nord, son phare et sa maison de gardien (Pourvoirie du lac Geneviève), les installations de la Société des établissements de plein air du Québec (Sépaq) sur les superbes sites de Pointe-Carleton et de Chicotte-la-Mer, en formule gîte ou chalet, avec ou sans repas. On trouve aussi de nombreux sites de camping autour

Belle tentative !

de l'île ainsi que des chalets équipés, grands et petits, situés à l'embouchure des rivières et qui conviennent aux groupes autonomes.

La côte sud de l'île est la moins escarpée. Le secteur nord-ouest compte plusieurs belles baies et des caps habités par une faune aviaire dense et diversifiée. La région la plus spectaculaire se situe au nord-est, de la baie McDonald jusqu'au cap Sandtop, mais il s'agit aussi des secteurs les plus difficiles. Quelques accès routiers (rivières Patate, Vauréal, de l'Ours, aux Saumons, du Renard) permettent des incursions locales.

Pour l'aventure, l'est de l'île demeure encore plus sauvage et extrêmement spectaculaire avec ses grands caps, ses falaises, ses baies prodigieuses au lourd passé historique. La Pourvoirie Safari Anticosti y propose des séjours hébergement/repas/transport aérien à la rivière aux Saumons et au phare de Cap-de-la-Table, un endroit unique.

Dans tous les cas, la location d'un véhicule utilitaire est indispensable. On trouve à Port-Menier tout ce qu'il faut pour se nourrir, en plus d'un petit musée fort intéressant, de la sépulture de Louis-Olivier Gamache, de la pittoresque rue du Cap-Blanc et de l'ancien site de la Villa Menier. Pour le reste, les insulaires sauront vous conseiller et vous assister. Vous n'aurez qu'à vous abandonner à la magie en jouant les aventuriers.

En ce qui nous concerne, nous avons eu la chance d'explorer Anticosti à une époque où les contraintes étaient beaucoup moins grandes qu'aujourd'hui. À vrai dire, elles étaient presque inexistantes, si ce n'était de la cohabitation avec les pêcheurs et du respect des rivières à saumon. Nous pouvions camper n'importe où et nous déplacer très libre-

Pêcheur de homard, Anticosti ; un bon souper en perspective pour les kayakistes

ment. À l'arrivée du premier traversier, qui a été en activité durant quelques saisons seulement, les choses ont beaucoup changé. L'île s'était alors transformée en un cirque incontrôlable qui menaçait la préservation de l'environnement et la sécurité générale. On a surtout craint la menace suprême sur l'île : le feu.

La Sépaq exerce maintenant une autorité serrée sur le territoire, surtout depuis la création du Parc national d'Anticosti. On ne laisse plus désormais les visiteurs se balader n'importe où et camper à leur gré. Toutefois, des sites de camping rustiques ont été aménagés à plusieurs endroits et de nombreux forfaits villégiature permettent aux amateurs de découvrir Anticosti dans des conditions idéales. Les amateurs d'expéditions doivent solliciter les autorisations requises et exposer un itinéraire préétabli. Les amateurs de kayak de mer peuvent louer une embarcation à Pointe-Carleton et réaliser des sorties quotidiennes guidées. Ils peuvent aussi faire transporter leurs embarcations sur le *Nordik Express* et les charger sur le véhicule utilitaire qu'ils ont loué pour se déplacer sur l'île. Il est également possible, comme nous l'avons fait à quelques reprises, de faire transporter un petit véhicule récréatif de classe B (Westfalia et autres petites autocaravanes) dans un conteneur chargé sur le *Nordik Express*.

Tour d'horizon

L'île est à peu près à la même latitude que Chibougamau, au nord du Lac-Saint-Jean, ou Paris, sans pour autant que son climat nuancé se compare à celui de l'une ou l'autre de ces villes. Anticosti est une manifestation de gigantisme : 50 fois l'île d'Orléans, 17 fois l'île de Montréal, une fois et demie l'Île-du-Prince-Édouard ; une superficie de 7 953 km², une longueur de 222 km, une largeur maxi-male de 56 km et une largeur moyenne de 45 km. On y dénombre au moins une centaine de rivières, dont une vingtaine que le saumon remonte en été.

De nos jours, Port-Menier est l'unique village de l'île. Il se situe, à vol d'oiseau, à 837 km de Montréal, à 620 km de Québec, à 135 km de Sept-Îles et à 113 km de Gaspé. Sur une carte géopolitique actuelle, on voit qu'Anticosti est située entre les régions québécoises de la Gaspésie et de la Côte-Nord. C'est toutefois à cette dernière qu'elle est reliée, faisant partie du district électoral et de la région touris-tique de Duplessis.

～ Kayak et sécurité sur la Côte-Nord

On n'enlève rien aux autres régions du Québec connues comme de fantastiques destinations pour les kayakistes en affirmant qu'aucune n'assure autant de rives sauvages et éblouissantes que la Côte-Nord. On pourrait même étendre ce jugement à tout le nord-est de l'Amérique du Nord sans craindre de se tromper. Cette région doit cependant être abordée comme un paradis qui ne se laisse pas apprivoiser sans difficulté et qui peut même se transformer en enfer pour les kayakistes téméraires, négligents, inexpérimentés ou imprévoyants. Ce plan d'eau qui semble infini doit faire l'objet d'un grand respect et d'une certaine crainte. Car il s'agit d'une mer imprévisible, capricieuse, changeante et, parfois, traîtresse.

Contre vents et marées

Les fréquents brouillards que connaît toute la Côte-Nord sont parmi les dangers les plus menaçants contre lesquels il n'y a rien d'autre à faire que de se soumettre et

La mise à l'eau n'est pas facile !

d'attendre. La surface marine peut aussi déjouer les kayakistes habitués à des milieux moins mouvementés puisque, même par temps calme, on observe au large un mouvement perpétuel de montée et de descente des eaux qu'on associe de façon imagée à une sorte de respiration de la mer. Ce phénomène, observable sur le fjord du Saguenay ou ailleurs dans le golfe ou dans la baie des Chaleurs, peut nous faire perdre de vue nos partenaires lors d'une sortie en les enfonçant littéralement dans un creux pendant que l'on est soulevé sur une crête.

Par ailleurs, le taux de salinité important des eaux accroît sa densité et élève la ligne de flottaison du kayak, ce qui diminue sensiblement la stabilité de l'embarcation, comme le ressentiront ceux et celles qui sont habitués de naviguer en eau douce. Le poids des bagages, puisque nous sommes dans une région de longue excursion, compense cette impression et assure une meilleure stabilité.

Lors de la plupart des sorties ou des excursions, surtout en Minganie, il est coutume de faire le tour des îles. Il faut donc s'attendre à des conditions de navigation qui varient de façon surprenante d'un côté ou de l'autre des îles pour ce qui est des vents, des vagues, et même de la température. Les pointes (extrémités) des îles constituent toujours les endroits les plus mouvementés et, conséquemment, les plus déstabilisants. En même temps que les îles offrent une protection remarquable contre les vents, elles peuvent exposer les kayakistes à des dangers auxquels il est difficile d'échapper. Lorsque les vents augmentent, la vague s'élève peu après et la mer peut devenir très agitée en quelques minutes à partir du moment où apparaissent des moutons blancs d'écume et des vagues déferlantes. Les vents dominants soufflent généralement de l'ouest. Lorsque les vents proviennent du sud, il est préférable d'éviter le versant sud des îles ; des zones de clapotis apparaissent alors et des vagues brisantes s'y forment pour courir sur les longs platiers rocheux qui bordent les îles. Un phénomène semblable se produit alors que le courant de la marée est contraire au vent. Quant aux vents du nord, ils ont tendance à entraîner les kayakistes au large.

Conditions difficiles, pour Jeff Thuot et Gilles Couët

La marée provoque aussi des renversements de courant qui altèrent considérablement les conditions de navigation en kayak. Le mouvement de la marée crée effectivement des courants de surface pouvant atteindre une vitesse de quatre nœuds, ce qui est amplement suffisant pour neutraliser les efforts de propulsion d'un kayakiste. L'influence de ces courants est encore plus marquée dans les corridors entre les îles alors qu'ils peuvent devenir négligeables dans les secteurs les plus exposés au vent.

Mais il est évident que la température de l'eau, qui se maintient à peine à quelques degrés du point de congélation, représente le danger le plus radical. Juste pour avoir un aperçu de ce que pourrait donner une baignade forcée en termes de choc thermique, essayez seulement de tremper vos mains dans l'eau pendant une minute durant la navigation. Si vous dépassez 30 secondes, c'est que vous êtes exceptionnellement endurant ou carrément masochiste. L'hypothermie rapide et la mort guettent donc les kayakistes qui chavirent dans ces eaux sans être vêtus d'un vêtement isothermique. Il ne faut assurément pas prendre cette menace à la légère.

D'autres précautions peuvent également s'avérer plus qu'utiles lors de longues excursions en autonomie ou par période de mauvais temps :

– installez un réflecteur radar sur le kayak ;
– informez la Garde côtière de votre présence dans une zone de trafic maritime en communiquant sur le canal VHF 16 ;
– précisez votre position, l'heure de votre départ et l'heure prévue de votre arrivée ;
– gardez votre radio ouverte durant tout le trajet ;
– pagayez en groupe et gardez un contact visuel avec vos coéquipiers ;
– s'il y a des navires, signalez votre présence à l'aide d'un dispositif sonore ;
– avisez la Garde côtière lorsque vous arrivez à destination*.

OPS Kayak de mer

Grande première au Québec et au Canada, la région de la Minganie compte un organisme dont la mission est de sensibiliser les visiteurs du Parc national du Canada de l'Archipel-de-Mingan aux dangers potentiels de la navigation en kayak de mer dans les îles.

OPS Kayak de mer (Organisme de prévention et de sécurité du kayak de mer) veut

Vérification des équipements de localisation

Source : Parcs Canada.

Naviguer dans la brume... équipement de localisation obligatoire, île d'Anticosti

sensibiliser les kayakistes aux dangers que représente l'environnement marin nord-côtier dans le but d'améliorer l'application des règlements et les pratiques de sécurité nautique. Il donne donc des conseils sur la navigation en plus de distribuer de la documentation et de louer de l'équipement de sécurité. L'organisme, situé sur la route principale à Longue-Pointe-de-Mingan, offre aussi un programme de formation en collaboration avec la Fédération québécoise du canot et du kayak.

Tous les kayakistes qui se dirigent vers la Minganie devraient s'arrêter dans les locaux d'OPS Kayak de mer pour discuter avec leurs spécialistes de leurs projets et de leurs plans d'excursions ou pour consulter les cartes marines ainsi que la documentation mises à leur disposition. Ils s'assureront ainsi de ne pas faire d'erreurs qui, dans le meilleur des cas, puissent conduire à un sauvetage. Ils pourront aussi vérifier s'ils possèdent l'équipement de sécurité indispensable. Tout cela dans un contexte amical et sans aucune pression commerciale.

Nageoire pectorale de rorqual à bosse, Minganie

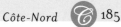

⌁ Baleines en vue !

Côtoyer l'univers des mammifères marins en kayak de mer constitue l'expérience la plus forte que l'on puisse vivre sur le plan émotif. Il s'agit toutefois d'une activité à laquelle il serait inconscient de s'adonner sans posséder toutes les connaissances essentielles sur les baleines, sur leur milieu de vie, sur leur comportement ainsi que sur la réglementation et les règles d'éthique qui régissent leur approche.

Les kayakistes ont quelques régions de prédilection pour ce qui est de l'observation des baleines, la principale étant la Haute-Côte-Nord. On parle souvent de Tadoussac comme étant la capitale québécoise de l'observation des mammifères marins. Mais, bien que ce soit là que l'armada des navires et des entreprises d'observation soit concentrée, ce n'est pas nécessairement là que les baleines se baignent.

Il y a bien quelques petits rorquals qui sont toujours en faction devant la baie, arpentant constamment son entrée ainsi que l'embouchure du fjord, mais on peut les admirer plus aisément et de façon plus sécuritaire à partir de la Pointe-de-l'Islet, l'avancée rocheuse qui divise la baie et le fjord. En raison de la circulation maritime très intense dans la baie de Tadoussac et au large, il faut naviguer dans les parages avec infiniment de précautions, en prévoyant constamment les déplacements des bateaux qui distinguent difficilement les petites embarcations, dont les kayaks, les côtoyant de trop près. J'ai aussi pu vérifier que les bateaux pneumatiques qui se dirigent

Camping Le Paradis Marin, Les Escoumins, Haute-Côte-Nord

vers la baie à fond de train en revenant de leurs excursions arrivent à peine à apercevoir les kayaks de mer, à cause de l'avant du zodiac qui s'élève considérablement à haute vitesse.

Un paradis marin !

Le véritable haut lieu de l'observation des mammifères marins en kayak de mer se situe à environ 35 km à l'est de Tadoussac et à 1 km à l'est du Centre d'interprétation et d'observation du Cap-de-Bon-Désir, un peu avant la municipalité des Escoumins. Il y a quelques années, il s'agissait d'un secret que l'on essayait de préserver. Mais comme bien d'autres, nous avons été incapables de ne pas parler du Paradis Marin, si bien que ce site exceptionnel a été littéralement envahi par les kayakistes et les campeurs... À notre grand désarroi, bien sûr, et à celui du propriétaire, Dominique Bouliane, qui s'est vu aux prises avec tout un problème de croissance sur les bras.

Le camping Le Paradis Marin se trouve aux abords de cette courte frange côtière qui plonge bien droit à des centaines de mètres dans les profondeurs de l'estuaire. Ce phénomène permet aux grands cétacés de s'approcher tout près de la rive et de se laisser voir en toute intimité. Il est même fréquent que ce soit le souffle des rorquals communs qui nous réveille au petit matin. J'y ai aussi eu la surprise de ma vie lorsqu'une baleine bleue est sortie sans prévenir droit devant moi, à 100 m du rivage, pour venir sonder quelques mètres de mon kayak.

Effectivement, il se trouve peu d'amateurs de kayak de mer au Québec qui ne connaissent pas ou qui n'aient pas entendu parler du Paradis Marin situé plus exactement à la limite de la municipalité des Bergeronnes. Au début des années 1990, ce petit bout de terrain attirait uniquement des plongeurs sous-marins venus profiter des splendeurs d'une flore marine extraordinairement riche dans ce secteur. La région des Bergeronnes et des Escoumins continue d'ailleurs d'être un pôle d'attraction de premier ordre pour les plongeurs. La muraille sous-marine verticale que l'on trouve ici provoque la remontée des éléments nutritifs, krill végétal et animal, qui attirent les mammifères marins et qui font que ce court segment de côte est l'un des seuls endroits où l'on puisse observer les plus grandes baleines à quelques mètres du rivage.

Les pionniers du kayak de mer au Saguenay ont vite repéré ce lieu, qui est aussi l'un des très rares où l'on puisse mettre à l'eau à tout moment de la marée. Le premier pourvoyeur en kayak de mer au Québec, Guide Aventure de Chicoutimi, y a ensuite emmené ses clients pour kayaker en compagnie des rorquals, notamment, puis pour camper sur place. Au début, le site n'a pas débordé du stationnement actuel et les kayakistes y acquittaient une contribution volontaire. Puis, il a bien fallu que Dominique Bouliane agrandisse ses installations pour répondre à la demande croissante.

Aujourd'hui, les lieux sont quasi méconnaissables pour les kayakistes de la première heure tant l'expansion du terrain a été considérable, reflétant l'explosion de popularité du kayak de mer. Des centaines de kayakistes de partout au Québec et même de plus loin s'y retrouvent chaque fin de semaine et c'est près d'un millier d'entre eux qui se donnent rendez-vous de façon tout à fait informelle durant le week-end de la fête du Travail, au début de septembre.

D'autres lieux privilégiés

Ailleurs, on remarque les baleines d'un bout à l'autre de la Côte-Nord, mais les kayakistes qui vont à leur rencontre fréquentent principalement les quais des Bergeronnes et des Escoumins ainsi que le Parc national du Canada de l'Archipel-de-Mingan à partir de Havre-Saint-Pierre, de Mingan ou de Longue-Pointe-de-Mingan.

J'ai, pour ma part, réalisé des observations extrêmement intéressantes de petits rorquals en alimentation dans la baie Sainte-Catherine, à l'ouest de l'embouchure du fjord. Les petits rorquals croisent dans la baie surtout pendant la marée montante. J'ai aussi vu parfois des petits rorquals et, surtout, des bélugas, passer Pointe-Noire ou Pointe-de-l'Islet pour remonter le Saguenay, avec le mouvement de la marée, jusqu'à la baie Sainte-Marguerite.

Camping de la baie Sainte-Claire, île d'Anticosti

Comportements à adopter

Comment se comporter en présence de mammifères marins ou en situation d'observation ? Il y a d'abord une grande règle qui ne tient qu'au jugement individuel : on ne poursuit pas les baleines, ni en allant à leurs devants ni en s'engageant à leur suite. De façon générale, il s'agit de naviguer normalement ou de rester en position stationnaire et d'être attentif à ce qui se passe autour. Par temps calme, on entend et on aperçoit facilement le souffle des baleines à des kilomètres à la ronde.

Le souffle court des marsouins déjoue facilement les kayakistes puisque ce petit cétacé, qui ne fait qu'un mètre de longueur, est à peine plus longtemps visible qu'il est audible. L'œil habitué arrive à distinguer son dos foncé qui déroule en surface le temps d'un instant.

La respiration des phoques en surface est parfois semblable à celle du marsouin. Toutefois, les phoques ont noué une relation très spéciale avec les kayakistes : en leur présence, on devient l'observateur observé. La tête hors de l'eau durant de très longs moments, les phoques nous zieutent systématiquement avec l'air de regarder ailleurs. Ils peuvent nous suivre durant des kilomètres. En colonies, ils s'adonnent à un jeu qui consiste à s'approcher le plus près possible des kayaks et à sortir la tête avec un air ahuri, pour replonger immédiatement avec fracas. On dirait un défi qu'ils se lancent entre eux, jusqu'à effleurer les pagaies à l'occasion.

Près d'Anticosti, on voit nettement les phoques passer sous les embarcations comme des torpilles quand on navigue sur

Échourie de phoques, Chicotte-la-Mer, île d'Anticosti
Pages précédentes : Pas de souffle en vue aux abords du cap de Bon-Désir

Un observateur observé, île d'Anticosti

les eaux translucides du platier. Dans le Saguenay ou au Parc du Bic (Bas-Saint-Laurent), on risque de les surprendre au détour d'une pointe ou sur les rochers sur lesquels ils se font chauffer. Encore une fois, il faut éviter les changements de direction brusques et s'éloigner de leurs lieux de repos ou des échoueries sur lesquelles ils se regroupent souvent par centaines.

Les rorquals communs se déplacent généralement en petits groupes et en droite ligne le long de la côte. Les kayakistes sont donc en mesure de les voir venir de loin et de se positionner pour ne pas leur nuire. Les règles d'éthique en vigueur chez les bateliers spécifient que la distance à respecter entre les embarcations et les animaux est de 200 m.

Avec les rorquals bleus et les petits rorquals, il arrive que l'on se fasse surprendre par une émersion imprévue et, parfois, rapprochée. Le comportement à adopter à cette occasion consiste, encore une fois, à ne pas changer de direction ni de vitesse brusquement. «Les changements brusques de vitesse provoquent des variations importantes d'ondes sonores sous l'eau qui peuvent devenir un facteur de stress pour les animaux.*» Ce constat s'applique naturellement plus aux embarcations motorisées qu'aux kayaks de mer, mais il mérite d'être pris en considération tout de même. Les kayaks sont plus concernés par les changements subits de direction car ceux-ci «[...] peuvent stresser les mammifères marins [qui] risquent de ne pouvoir établir correctement votre trajectoire**».

---

* Source : Evans 1982, Lesage *et al.* 1989.
** Source : Evans 1982, Blane, 1990.

Queue de béluga, Grandes-Bergeronnes

De façon générale, on doit aussi éviter d'approcher un animal au repos ou d'encercler les mammifères marins, ce qui peut facilement se produire lorsque des groupes importants de kayakistes sont réunis. L'éthique demande de limiter le nombre d'embarcations à cinq lorsqu'elles sont à proximité d'un ou de plusieurs animaux. Elle spécifie également que les approches devraient être effectuées en oblique plutôt que de face, perpendiculairement ou par-derrière.

Lorsqu'on navigue sans que l'observation des mammifères marins soit la préoccupation première, la consigne est de rester vigilant si des baleines se manifestent et de poursuivre sa course à vitesse réduite, parallèlement à ces dernières.

Je n'ai pas abordé le cas des bélugas jusqu'ici puisque la réglementation est très stricte à leur sujet. En kayak, on remarque souvent la présence de bélugas dans le fjord du Saguenay, particulièrement dans le secteur de la baie Sainte-Marguerite, puis lors de leurs déplacements entre cette baie et Tadoussac. Les spécialistes du Groupe de recherche sur les mammifères marins de Tadoussac, le GREMM, ont identifié un groupe de bélugas qui remonte le Saguenay quasi quotidiennement pour aller s'alimenter ou socialiser à l'embouchure de la rivière Sainte-Marguerite. Dans l'estuaire du Saint-Laurent, ils circulent régulièrement entre Les Escoumins et le fjord ainsi que dans la région de Saint-Siméon, sur la côte charlevoisienne, ou devant Rivière-du-Loup et à l'est des îles de Kamouraska, dans le Bas-Saint-Laurent.

Le béluga étant un animal extrêmement curieux, il lui arrive souvent de s'approcher des kayakistes et de venir s'enquérir de la nature de cette «chose» colorée du même gabarit que lui. Dans ces cas, les règles d'éthique mentionnées plus haut s'appliquent rigoureusement. Mais, en toute autre circonstance, les tentatives délibérées d'observation des bélugas en kayak de mer sont formellement interdites. On doit donc exclure toute forme d'approche des bélugas à cause de la précarité de la survie de l'espèce. Si les bélugas ne se déplacent pas, il faut les contourner lentement et à distance. Sinon, on continue son chemin sans écart.

Les règles d'éthique élaborées par Pêches et Océans Canada, en collaboration avec l'industrie d'observation et le Parc marin du

Cormoran à aigrettes

Falaise aux goélands, île d'Anticosti

Saguenay – Saint-Laurent, s'inscrivent dans le cadre du Règlement sur la protection des mammifères marins qui s'applique partout sur le Saint-Laurent, sauf sur le territoire du Parc marin Saguenay – Saint-Laurent. Ces règles visent simplement à éviter que les baleines ne soient dérangées et ne modifient par conséquent leurs habitudes à cause de la présence de bateaux d'observation, incluant les kayaks de mer.

Dans les limites du parc marin, c'est le Règlement sur les activités en mer qui s'applique depuis 2002. L'article 7 de ce règlement mentionne qu'il est interdit d'importuner un mammifère marin dans les eaux canadiennes. Quiconque enfreint ce règlement est passible de poursuite judiciaire. On sait cependant qu'il y a bien peu de moyens et de ressources déployées pour faire appliquer la loi.

 Gaspésie

～ Mer et montagne

Devant cette côte magistrale qui n'en finit plus de se prolonger au pied des sommets les plus majestueux du Québec, il saute aux yeux que le pourtour de la région de la Gaspésie recèle un potentiel merveilleux de plaisirs et de paysages grandioses pour les fous du kayak de mer. Les marées réduisent leurs effets sur le rivage plus on s'avance vers la pointe de la péninsule, ce qui rend les sorties un peu moins difficiles à prévoir et à gérer. Tous les villages côtiers possèdent leur quai, bien que la mise à l'eau puisse s'effectuer relativement facilement à partir des nombreuses plages situées à proximité de la route, tant sur le versant de l'estuaire et du golfe du Saint-Laurent, que sur la pointe ou dans les baies de Gaspé ou des Chaleurs. Sauf dans ces deux derniers secteurs, qui sont beaucoup plus abrités, les conditions de navigation se rapprochent de celles que l'on trouve en haute mer. Il ne faut donc rien laisser au hasard en ce qui a trait à l'équipement et à la sécurité.

Plusieurs amateurs découvrent le kayak de mer en Gaspésie à partir du versant sud du Parc national du Canada de Forillon ; ils profitent alors des services de camping du parc et, au besoin, des services du pourvoyeur local, à Cap-aux-Os. D'autres services sont aussi offerts dans les lieux les plus propices à la pratique du kayak de mer en Gaspésie, soit à Percé, à Carleton et à Bonaventure.

En marge de la mer, la fabuleuse et cristalline rivière Bonaventure offre aux kayakistes de multiples plaisirs et attraits. Bien

Cap-Bon-Ami, Parc national de Forillon

Cap-Bon-Ami, Parc national de Forillon

connue des canoteurs, qui s'y promènent sur plus de 120 km, elle ne leur est cependant pas réservée, puisque l'on peut la parcourir en grande partie dans un kayak.

Que ce soit à Forillon ou ailleurs sur la côte gaspésienne, c'est le paysage unique et colossal qui séduit de prime abord. Une fois sur l'eau, on se laisse instantanément gagner par l'abondance de la faune marine qui ne cesse de se manifester. Les phoques sont toujours du spectacle et il n'est nul besoin d'être prophète pour prévoir leur apparition de tout bord, tout côté.

L'intimité avec les falaises crée une atmosphère tout à fait spéciale, surtout par temps ensoleillé alors que la chaleur de la pierre se transmet à l'air ambiant. La paroi rocheuse abrite des multitudes d'oiseaux marins qui tournoient autour des embarcations et qu'on

observe à satiété. Et si on est vraiment chanceux, c'est le souffle des rorquals à bosse, bleus ou communs ou des petits rorquals qu'on voit percer la surface de l'eau. Les marsouins se promènent régulièrement dans le secteur, alors que les dauphins viennent y faire leur tour de temps à autre. La plus rare et la plus précieuse, la baleine franche, sillonne discrètement le large de la Gaspésie, et l'apercevoir est un privilège.

Et puis, l'eau est tellement claire dans maints secteurs que l'on peut observer les fonds marins qui grouillent de vie, avec une flore très dense parée de crabes ou d'étoiles de mer. L'eau de la baie des Chaleurs arrive même à se réchauffer suffisamment en période de canicule pour que l'on puisse s'y baigner. Mais les vents se mettent souvent de la partie et les courants font sentir leurs

effets. Il faut donc se réserver les journées de beau temps pour sortir en mer et être patient les autres jours.

～ Le rocher Percé

Voilà un classique de taille ! Le rocher Percé représente, de fait, l'image la plus classique du tourisme au Québec, un honneur qu'il partage avec le Château Frontenac. Cela ne l'empêche pas de continuer d'exercer une réelle fascination sur les kayakistes et tous les voyageurs. En faire le tour est une expérience très plaisante par beau temps, surtout au lever du jour alors que le soleil jette un éclairage violent sur la pierre. On met à l'eau facilement à partir de la plage du quai des Bateliers, puis on se trouve déjà tout à côté du mastodonte. Il ne faut toutefois pas se laisser surprendre par les conditions de navigation qui peuvent différer grandement de part et d'autre du rocher, selon les vents et les mouvements de marée.

Mais quoi de plus bucolique que ce soleil qui enflamme, dès son apparition, les parois du rocher Percé, célébré par l'ode déconcertante des mouettes tridactyles ! Certains d'être les premiers à nous délecter de ce spectacle et à nous aventurer le long de l'énorme bloc calcaire de 88 m de hauteur sur 438 m de longueur, nous nous sommes dirigés dès 7 h vers le sentier pierreux qui se dégage au baissant. Surprise ! bottes jaunes aux pieds, nous y avons suivi au pas une foule grandissant de minute en minute : les petites dames en beaux souliers, les petits messieurs en espadrilles blanches, les « *plein air* » en sandales... Des kayakistes observaient cette action fébrile à partir du large. On repassera pour l'intimité !

Indifférent à toute cette fébrilité, le rocher Percé continue à s'éroder, perdant

Rocher Percé

Rencontre avec les fous de Bassan, île Bonaventure

teurs désertent vite vers le sud. On ne trouve presque plus de clients dans les boutiques non plus. Le rocher Percé, lui, reste au garde-à-vous sous le soleil automnal rougeoyant. La lumière plus directe et plus forte de septembre et d'octobre rehausse sa taille et sa couleur ocre. L'hiver, la baie de Percé demeure souvent à l'eau libre, transportant quelques morceaux de banquise au gré du vent. Les kayakistes y sont alors plus que rares, mais comme on trouve de plus en plus d'amateurs de kayak hivernal, il ne faudrait pas s'étonner d'y voir quelques bateaux colorés en janvier !

~ Bonaventure, l'île des fous

Droit devant Percé, un morceau de 5,8 km^2 de la chaîne des Appalaches a pris le large pour devenir l'île Bonaventure, qui fait partie du Parc national de l'Île-Bonaventure-et-du-Rocher-Percé créé en 1985. D'avril à la fin d'octobre, environ 200 000 oiseaux marins trouvent refuge dans cette réserve faunique protégée depuis 1919. Des nuées de mouettes tridactyles, de guillemots à miroir, de cormorans à aigrettes et de petits pingouins s'accrochent aux falaises escarpées. Une colonie de plus de 75 000 fous de Bassan, dont les couples inséparables reviennent y nidifier année après année, élèvent et protègent farouchement leur progéniture sur le toit de l'île.

Pour apprécier ce décor et cette nature uniques en Amérique du Nord, la plupart des visiteurs montent à bord d'un des bateaux des Bateliers de Percé pour une excursion de quelques heures qui conduit aux abords du rocher Percé, puis fait tout le tour de l'île Bonaventure en longeant ses falaises.

plus de 300 tonnes de pierre et de fossiles par année, le plus souvent de façon imperceptible mais parfois de manière plus spectaculaire. Justement, en août 2003, après des pluies abondantes, 100 tonnes de calcaire se sont détachées du plafond du trou en une nuit. Cela ne bat toutefois pas l'événement du 17 juin 1845 : l'arcade du deuxième trou du rocher s'est effondrée, ne laissant plus que l'obélisque que l'on observe encore aujourd'hui. Car ce n'est pas un trou mais bien deux que Jacques Cartier a décrit le 15 juillet 1534, le jour de la Saint-Bonaventure, lorsqu'il a mouillé à Percé.

L'automne venu, le fond de l'air devient notablement plus frais et les oiseaux migra-

Le tour de l'île Bonaventure

Quelques rares kayakistes s'y aventurent puisque ce genre d'excursion est plutôt réservé à des navigateurs d'expérience. Les conditions maritimes varient en effet considérablement tout autour de l'île ; certains versants peuvent connaître de forts ressacs ainsi que des clapotis importants. Mais, si le temps le permet et si les conditions de sécurité sont réunies, cette randonnée en kayak nous offre la possibilité d'admirer en vol des dizaines de milliers d'oiseaux marins, que l'on voit parfois plonger de façon acrobatique pour ressortir de l'eau avec un poisson dans le bec. On les distingue aussi à l'étroit sur leurs nids avec leurs petits. Les phoques, également nombreux autour de l'île, se prélassent au soleil sur les rochers ou sortent la tête de l'eau pour nous observer avec curiosité.

≈ Sainte-Luce

Quiconque débarque pour la première fois à Sainte-Luce à la mi-juillet, par une belle journée chaude, humide et ensoleillée, est ébahi par le spectacle de l'immense baie de Sainte-Luce. Sur la longue plage de 2,5 km encerclant la baie, des centaines, si ce n'est des milliers, de vacanciers lézardent au soleil. Les parents se relaxent sous le parasol en gardant un œil sur les petits. Les enfants bâtissent des châteaux de sable et courent sur le rivage en s'éclaboussant. Une dame d'un âge respectable ne se laisse nullement impressionner par la température de l'eau et nage allègrement avec quelques autres braves qui se trempent les jambes. Les séducteurs caressent leur copine chaude et dorée, la peau luisante de lotion à la noix de

Bain de foule à la plage, Sainte-Luce

Plage et location de kayaks, Sainte-Luce

coco. Les adolescents restent sur la promenade, près de leur Honda Civic et pas très loin des filles en bikini, pour boire leurs canettes de Budweiser et écouter les derniers succès de *Trash Metal* que crache le haut-parleur installé dans le coffre arrière de la voiture.

Parallèle à la plage et en surplomb, la promenade se donne des allures de croisette populaire avec de forts effluves de goémon sur un fond de rires sonores et de discussions estivales provenant des tables de pique-nique, toutes occupées. Les voitures et les motos garées à proximité crépitent au soleil dans une succession parfaite ; pas une aire de libre dans le terrain de stationnement. Sur le toit d'une auto, un kayak de mer attend sagement son maître sans frémir sous la chaleur extrême. D'autres kayaks naviguent dans les eaux fraîches de la baie et semblent jouir pleinement de ces moments de grâce en le saluant de leur pagaie.

Lorsque, d'un seul regard, j'ai découvert le panorama de cette station balnéaire en descendant du camping vers la grève par un chemin boisé, j'ai eu un choc. «Suis-je en Floride? me suis-je demandé. Ou en Virginie? Ou encore à Cape Cod? En Acadie, peut-être? À moins que ce ne soit à Wasaga Beach?» Non! Ce décor de plage, de mer, de soleil, de terrasses et de vacanciers existe bel et bien au Québec. Et il se trouve à la frontière des régions du Bas-Saint-Laurent et de la Gaspésie. Je devais être le seul à ne pas le connaître!

Sainte-Luce se situe à 12 km à l'est de Rimouski et à 5 km de Pointe-au-Père. La population de 1 500 résidants augmente de façon exponentielle durant les belles semaines

de juillet et d'août. La vocation touristique de cette localité est indéniable lorsqu'on dresse la liste des services liés à cette industrie : pourvoyeurs, gîtes, auberges, hôtels, restaurants, terrasses et autres infrastructures sont nombreux et diversifiés. Les plongeurs y viennent de partout pour explorer l'épave de l'*Empress of Ireland* qui a coulé le 29 mai 1914 et entraîné dans la mort 1012 passagers. Plus récemment, on a coulé volontairement

Battures de Sainte-Luce

un navire de combat, le *Nipigon*, pour offrir aux moins expérimentés des conditions de plongée sous-marine moins difficiles que dans l'*Empress*.

Pour les kayakistes, la baie de Sainte-Luce représente aussi une destination familiale des plus agréables puisqu'elle est très facile d'accès et souvent protégée des rigueurs climatiques du large. On y met à l'eau sans problème à partir de la plage, du quai ou du rivage derrière l'église, où l'on trouve une aire de stationnement. Un locateur a pignon sur rue près de l'église également. Il s'agit d'un lieu tout à fait propice à l'initiation et à la longue promenade.

Le petit camping La Luciole, placé sur les hauteurs, aux abords de la route 132 et à un jet de pierre de la plage, est franchement agréable ; s'y côtoient pêle-mêle les gros motorisés, les petites autocaravanes et les tentes.

Pages suivantes : Anse à Beaufils

LES DÉCOUVERTES

Kayaker près de la ville

～ Québec vue de Lévis

Québec dort encore. Les moteurs des deux traversiers se mettent à ronronner avant même que l'on décroche les amarres. Quelques patineurs matinaux glissent déjà sur la piste cyclable de Lévis dans la plus parfaite des quiétudes. La pesanteur précoce de l'air du matin annonce une journée chaude et lourde d'humidité. Le soleil a débordé des Appalaches depuis plus d'une heure et frappe maintenant de plein fouet les fenêtres de la vieille ville en projetant de puissants éclats de lumière. Le Château Frontenac pâlit sous les effluves safran du levant. Pas un nuage ne paraît dans l'azur. Le jour se lève sur le panorama urbain le plus pittoresque du continent.

Dans le goulot naturel que forme le fleuve entre Québec et Lévis, les eaux se projettent à une vitesse impressionnante. La force de la marée baissante vient augmenter la vélocité de ce courant impétueux.

C'est sur ce miroir en mouvement que Mirella, Jonathan et Patrice glissent à vive allure. On a peine à les suivre du regard tant ils descendent rapidement. Mais ces trois excellents pagayeurs maintiennent le cap de façon superbe en passant sous le Château Frontenac. Ils réussissent à virer avant

Les kayakistes remontent le fort courant devant le Vieux-Québec
Page 206 : Archipel des îles de Kamouraska

Le jour se lève sur Québec

d'atteindre l'entrée du bassin Louise, pour remonter le courant féroce jusqu'à proximité du quai du traversier. Ils manœuvrent au bout de leur force pour se maintenir à cette hauteur tout en traversant latéralement de la rive de Québec jusqu'aux abords de Lévis.

Perchés sur les ruines d'une ancienne cale sèche, vestige de l'époque où les chantiers maritimes couvraient les deux rives du fleuve à cet endroit, nous les attendons avec une joie manifeste. Nous ne pouvions en effet souhaiter de meilleures conditions et des navigateurs plus habiles pour associer visuellement la ville de Québec et le fleuve Saint-Laurent au kayak de mer.

～ Saint-Antoine-de-Tilly ou le fleuve en eau douce

Dans la région de Lotbinière, à quelques kilomètres au sud-ouest de Québec, s'étend une côte magnifique à voir et fascinante à connaître. Ses villages, parmi les plus anciens du continent, ont préservé ce riche patrimoine qui leur confère un caractère historique unique. Tout au long de la route 132, il faut souvent faire un crochet sur l'ancienne route pour pénétrer dans ces hameaux, qui s'étirent de part et d'autre d'un chemin étroit, avec leurs maisons qui se frottent au trottoir et leurs grands arbres majestueux dont les ramifications s'enflamment à la fin de septembre.

Dans cette partie de Chaudière-Appalaches, les nombreux vergers trahissent leur âge vénérable par les formes torturées de leurs pommiers. Comme dans le temps, l'intérieur du pays est toujours voué à l'agriculture et on y reconnaît encore certaines des plus belles terres du Québec. Et que dire de ces églises dignes et sobres, dont la rénovation récente fait briller la toiture argentée ainsi que le clocher ? Tout près, on trouve toujours un cimetière qui

Départ pour la traversée du fleuve, Saint-Antoine-de-Tilly

en a long à dire ainsi qu'un presbytère sou-vent recyclé pour d'autres usages, mais encore somptueux par ses dimensions imposantes, son architecture traditionnelle et ses boiseries raffinées. Puis il y a le magasin général, qui a gardé sa vocation commerciale ou qui s'est transformé en auberge, en gîte ou en café. Tout autour, on reconnaît les maisons bourgeoises du seigneur, des commerçants, des politiciens et des notables. Le moulin banal n'est jamais loin, tout comme les chapelles de procession à l'entrée et à la sortie des anciennes limites des villages.

Un style, un rythme...

De nos jours, lorsqu'on fréquente ces villages tricentenaires, dont plusieurs affirment avec justesse qu'ils comptent parmi les plus pittoresques du Québec, on recherche tous ces éléments qui composent leur cachet si particulier. Mais ce n'est pas tout. Pour en faire des destinations touristiques complètes, il faut idéalement que se greffent aux attraits historiques quelques éléments ambiants qui soutiennent l'intérêt des visiteurs. Il faut que, lorsqu'on s'y trouve, on se sente bien, heureux, libéré du fardeau du quotidien. L'atmosphère, les activités,

Embarquement des kayaks, battures de Saint-Antoine-de-Tilly

l'environnement et le rythme du temps y prennent une importance primordiale.

Heureusement, la côte de Lotbinière et surtout un de ses joyaux, Saint-Antoine-de-Tilly, réunissent des qualités essentielles pour combler ceux et celles qui sont à la recherche d'un petit paradis de week-end. Lorsqu'on ajoute à ce portrait la proximité du fleuve Saint-Laurent et la possibilité d'y naviguer en kayak de mer, on obtient le portrait parfait de l'endroit de rêve où l'on souhaiterait se perdre durant quelques jours.

Ces rivages habités depuis des siècles laissent cependant peu de place aux usagers des berges et des eaux puisque les terrains privés s'y alignent sans grande interruption. On s'étonne d'abord de constater qu'un village comme Saint-Antoine-de-Tilly, dont on croirait qu'il se situe entièrement sur les hauteurs des falaises du fleuve, ne semble pas, de prime abord, offrir d'accès au Saint-Laurent. Cependant, en explorant les petits chemins qui descendent au rivage, comme devant l'église ou à partir de la rue princi-pale, on découvre l'univers des nombreux villégiateurs qui occupent discrètement le niveau du fleuve sans même qu'on puisse les deviner d'en haut. Les battures font l'objet d'une protection minutieuse de la part des riverains, qui veulent préserver tant leur intimité que la qualité de leur environne-ment. Ils laissent quand même quelques brèches ouvertes sur le Saint-Laurent pour les kayakistes ou les propriétaires de petites embarcations.

C'est par l'une d'elles que nous avons accédé au fleuve d'eau douce qui nous est peu familier, mais que nous a fait découvrir

Paul Brunet, un enseignant à la retraite qui s'est fait constructeur de kayak de bois dans ses temps libres ainsi que pourvoyeur avec Kayak et Nature.

La marée en eau douce

Question navigation, la marée impose encore ici son diktat sur les moments de la journée où il est possible de mettre à l'eau puisque le marnage est toujours très impo-sant. L'étroitesse du fleuve impose égale-ment des courants puissants, surtout au baissant, qui produisent une agitation de surface relativement importante dans le chenal central. Dans ce secteur, il reste aussi de mise de surveiller la circulation maritime afin de ne pas se faire surprendre par un géant des mers.

Nous avons donc traversé le fleuve pour la première fois de nos vies devant Saint-Antoine-de-Tilly, pour aller faire une pause sous les caps fragiles de la rive nord. En aval, les ponts de Québec nous rappellent la proximité de la ville alors que, en amont, on devine la pointe Platon, une destination de long parcours. Au retour, les courants ascen-dants puissants nous ont poussés de travers avec force dans le chenal. Nous y avons d'ailleurs passé une bouée à une vitesse étonnante, pour tenter ensuite de la remon-ter avant de nous trouver déportés en un rien de temps vers l'ancien quai et les battures d'où nous sommes partis.

Le Saint-Laurent, avant qu'on l'appelle la mer, nous procure ainsi d'autres sensa-tions, d'autres émotions, encore un environ-nement différent et la joie de partager d'heureux moments avec ceux qui aiment leur coin de pays plus que tout.

Pause dîner au pied des falaises

～ Montréal et le canal de Lachine

Ce ne sont certainement pas les instigateurs du canal de Lachine qui auraient pu, en 1825, imaginer sa vocation actuelle ! Cette voie de contournement de puissants rapides, bâtie pour le transport maritime commercial, est en effet aujourd'hui sillonnée par des plaisanciers, des kayakistes, des canoteurs, des cyclistes, des patineurs et des marcheurs.

Après son ouverture, le canal de Lachine a suscité un essor industriel colossal qui a culminé entre les deux grandes guerres. Environ 250 compagnies et 25 000 travailleurs œuvraient alors dans ce seul secteur, devenu le principal centre industriel du Canada. L'aménagement de la Voie maritime du Saint-Laurent, en 1959, a mis brutalement un terme à cette prospérité en amorçant la migration de l'économie industrielle et commerciale de Montréal vers l'Ontario. En 1970, on obstruait l'entrée du canal et on laissait béante cette cicatrice de 14 km de longueur.

Aujourd'hui, le canal de Lachine connaît heureusement une seconde vie grâce à l'aménagement sur ses rives d'une magnifique piste cyclable qui s'étire sur 14 km, du Vieux-Port de Montréal (bassin Alexandra) jusqu'au lac Saint-Louis (Lachine). Sa fréquentation annuelle, estimée à 800 000 adeptes de vélo, en fait l'infrastructure du genre la plus populaire du Québec.

Plus récemment, cette voie navigable urbaine tout à fait unique est également redevenue accessible à la navigation à la suite d'une vaste opération de dépollution et de restauration. Des hors-bord franchissent

Canal de Lachine, Montréal

Kayaker en ville, pourquoi pas ! Canal de Lachine, centre-ville, Montréal

donc de nouveau ses écluses. Des canoteurs et des kayakistes s'y baladent aussi, surtout dans la section centrale de 7 km dépourvue d'écluses.

C'est l'occasion d'une détente nautique en pleine ville, dans un environnement qui prend parfois des allures irréelles alors que le regard embrasse simultanément l'alignement magnifique des grands arbres du parc linéaire, les autoroutes à proximité et l'arrière-cour des industries toujours en activité. Les vestiges de l'époque industrielle glorieuse, dont une immense grue sombre qui surplombe le canal tel un fantôme désarticulé, donnent un cachet étrange au site.

On trouve sur place le pourvoyeur Aventures H2O qui loue des kayaks de mer et organise des excursions d'initiation. Il est également possible de mettre sa propre embarcation à l'eau à partir d'une descente publique située tout près des installations d'Aventures H2O.

～ Le Parc national des Îles-de-Boucherville

On parle toujours du Parc national des Îles-de-Boucherville comme d'une oasis située vraiment en pleine ville. Et c'est un constat tout à fait évident lorsqu'on s'y rend.

La transition est presque brutale lorsqu'on passe de la circulation folle des grandes artères environnantes à l'ambiance feutrée de l'île Charron où les chevreuils broutent paisiblement sans s'apercevoir où ils sont vraiment. Effectivement, ils sont à quelques brasses de l'île de Montréal et de la ville de Longueuil. D'un côté, on aperçoit le port de Montréal, les quartiers de l'est de la ville, la tour du Stade olympique et les raffineries. Puis, en s'étirant le cou un peu ou en naviguant au bout du chenal Grande-Rivière, on distingue tout le centre-ville et ses gratte-ciel, le mont Royal, le pont Jacques-Cartier et les tours de ventilation du pont-tunnel Louis-Hippolyte-La Fontaine. Sur l'autre

Sterne à tête noire, îles de Boucherville

rive, on voit bien le cœur du Vieux-Boucher-ville, l'église, la marina et quelques maisons anciennes qui dissimulent un peu de leur noblesse derrière de grands arbres qui ne sont pas dénués de dignité, eux non plus.

Un archipel de nature

Une dizaine d'îles en plus des grandes battures Tailhandier forment cet archipel à l'entrée du port de Montréal et de la canalisation de la Voie maritime du Saint-Laurent. Cinq de ces îles composent le parc comme tel.

À l'époque de la Nouvelle-France et de la seigneurie de Boucherville, les fermiers qui pouvaient profiter de ces pâturages excep-tionnels et de champs aussi plats que prodi-gues étaient assurément considérés comme de grands privilégiés. De nos jours, l'agricul-ture est encore bien présente sur certaines îles, comme en témoignent les vastes champs de maïs.

Par ailleurs, il est passablement plus difficile de concevoir que la grande île de 18 hectares située au nord-est de l'archipel, l'île Grosbois, a déjà abrité un immense parc d'attraction ; le parc King-Edward offrait en effet à ses visi-teurs une piste de course à chevaux et des montagnes russes au début du XXe siècle. Il semble même que les pourtours constitue-raient l'un des plus importants cimetières de bateaux à vapeur du monde. Mais la vocation de ce milieu naturel a profondément changé et, fort heureusement, elle s'est orientée vers la conservation. Il est aisé de comprendre la fragilité et la valeur d'un environnement en

Cargo en arrière-plan, îles de Boucherville

Montréal, vue des îles de Boucherville

reconstitution aussi fortement assailli par la ville !

Lorsqu'on débarque sur ce chapelet d'îles aux abords des basses terres du fleuve, la pression urbaine tombe sur le coup. Les épaules s'abaissent et le regard s'élargit. On respire enfin et on renoue immédiatement avec l'odeur, l'ambiance et la beauté si particulières aux milieux humides. On sait la richesse faunique de ces environnements qui constituent le refuge vital de tant d'espèces. Ici, on dénote la présence de 45 espèces de poissons, de 6 espèces de reptiles, de 7 espèces d'amphibiens et d'une vingtaine d'espèces de mammifères dont le renard roux, le vison et le castor, qui érige sa cabane à l'ombre des tours de bureaux. Grâce à leur situation stratégique, les îles de Boucherville constituent aussi une halte importante pour de nombreuses espèces migratoires de sauvagine ainsi qu'une aire de nidification incomparable.

Pour ce qui est de la flore, sa diversité et sa luxuriance sautent aux yeux des visiteurs,

et plus spécialement des kayakistes puisque les larges corridors nautiques leur permettent de circuler partout entre les îles au printemps. Ils se referment progressivement durant l'été jusqu'à devenir des sillons étroits complètement envahis par la haute végétation. Les arbres sont également splendides, surtout les saules qui bruissent délicatement sous le vent et donnent ainsi aux prairies une allure romantique. Le parc compte 260 espèces de végétaux dont 6 pourraient être considérées comme menacées.

Un rendez-vous tout près

Le Parc national de Îles-de-Boucherville s'affirme comme le lieu de rendez-vous des kayakistes de la grande région métropolitaine qui veulent s'adonner à leur sport en minimisant les déplacements. On les voit arriver en fin d'après-midi et en début de soirée, après le travail, pour mettre leurs embarcations à l'eau et se donner quelques heures de plaisir. L'archipel propose un circuit remarquable, non seulement pour sa proximité de la ville, mais aussi parce qu'il

Un des seuls endroits au Québec qui offrent une variété de paysages tant urbains que naturels...

Nature urbaine, Parc national des Îles-de-Boucherville

donne accès à des horizons qui nous font souvent oublier complètement l'environnement urbain.

Parfois aussi, les panoramas qui s'étirent devant nos yeux sont ahurissants de contrastes. Lorsqu'on part du débarcadère de l'île Sainte-Marguerite pour se diriger vers le nord à contre-courant, on distingue bien un bout du Stade olympique mais on se sent vraiment en pleine nature. Quand la perspective s'ouvre sur la ville au bout du chenal Grande-Rivière, on n'ose croire à la réalité de cet arrière-plan tant il est surréaliste. Quand on aperçoit ces grands vraquiers accostés au port de Montréal et qu'on entend le bruit des activités portuaires, on ressent une impression troublante alors que l'on pagaie délicatement dans les herbes après avoir longé la cabane du castor. On ne peut s'empêcher de trouver du charme et du style à ce décor étonnant vu dans ce contexte, surtout quand les lumières du soir s'allument.

Pourtant, le bruit succinct des tortues peintes qui se jettent à l'eau, le vol des canards qui nous entourent constamment, le vent qui nous rappelle à l'ordre, tout cela

nie la réalité de la ville. Et on n'a qu'à donner une simple poussée de pagaie, qu'à insuffler subtilement une direction au gouvernail, qu'à tourner la tête d'un cran pour s'engager dans le chenal du Courant, puis replonger dans l'univers des basses terres... Celui des sternes pierregarain qui virevoltent au-dessus de nos têtes et des oiseaux marins qui gueulent sans arrêt.

Un peu plus loin, en s'engageant dans la portion du Saint-Laurent qui sépare Boucherville et l'archipel, un autre théâtre nous attend, celui d'un magnifique quartier historique avec son église, ses belles maisons,

sa marina et ses grands arbres qui bordent le boulevard Marie-Victorin.

C'est tout cela qui, à nos yeux de régionaux, fait l'intérêt de ce parc foncièrement unique. Que l'on soit sur l'eau ou sur la terre ferme, il réussit chaque fois à nous émerveiller.

La rivière des Mille Îles et son parc

Frontière naturelle entre Laval (île Jésus) et les Basses-Laurentides, la rivière des Mille Îles et son parc arborent un environnement naturel précieux à quelques pas de la ville.

Une zone protégée

Officiellement reconnu refuge faunique par le gouvernement du Québec, ce territoire protégé, qui couvre une superficie de 26 hectares, comprend une trentaine d'îles et de nombreux sites identifiés comme habitats d'animaux et de végétaux vulnérables ou susceptibles d'être menacés. Dix écosystèmes forestiers exceptionnels ont été répertoriés sur l'ensemble de ce territoire, la majorité d'entre eux constituant des groupements végétaux rares. D'une grande biodiversité, ce refuge abrite 215 espèces d'oiseaux, 40 espèces de mammifères,

Parc de la Rivière-des-Mille-Îles

25 espèces de reptiles et d'amphibiens ainsi qu'une soixantaine d'espèces de poissons.

Le Parc de la Rivière-des-Mille-Îles est géré par l'organisme Éco-Nature situé dans le secteur Sainte-Rose, à Laval. Il offre à la population de nombreuses activités d'interprétation et de plein air, dont le kayak de mer. À cet endroit, les kayakistes peuvent louer une embarcation ou mettre à l'eau leur propre kayak. D'autres emplacements, notamment à Saint-Eustache, à Boisbriand, à Rosemère et à Sainte-Rose, permettent la mise à l'eau.

Un bayou typiquement québécois

On a souvent décrit cet espace aquatique exceptionnel, situé aux abords de quartiers résidentiels dont la population est relativement dense, comme une sorte de bayou à la québécoise. Cette comparaison est parfaitement vérifiable en toutes saisons, mais le phénomène devient carrément spectaculaire une fois tous les cinq ans environ, lors des crues printanières qui peuvent faire monter de près de 2 m le plan d'eau harnaché. À ce moment, habituellement tôt en mai, on peut littéralement pagayer « sur » les îles, entre les grands érables argentés qui ont les pieds dans l'eau, là où l'on trouvera parfois des sentiers de randonnée pédestre durant l'été. Cette courte période survient avant la feuillaison printanière, mais à la toute fin de mai 2004, les pluies soutenues ont gonflé les eaux de la rivière au point de susciter une élévation aussi importante que la crue printanière, et ce, au moment où la végétation était déjà couverte de feuilles arborant le délicieux vert tendre saisonnier.

Le bayou québécois, Parc de la Rivière-des-Mille-Îles

Sous les piliers de l'autoroute 15, rivière des Mille Îles

Stéphane Joyez, un athlète de haut niveau d'origine française, s'ingénie aujourd'hui à faire découvrir aux kayakistes cette région fabuleuse avec son entreprise Amikayak. Il nous guide de main de maître dans cet univers que nous avons le privilège d'explorer.

Dans une ambiance magique et singulière, typique des forêts de cyprès inondées de certains lacs louisianais (le lac Saint-Martin tout spécialement), les pagayeurs s'amusent à louvoyer entre les troncs ou les branches, compensant l'effet des vents et des courants par des gestes courts. Les feux du soleil et les jeux d'ombre créent dans ces sous-bois aquatiques des éclairages extrêmement contrastants qui varient sans transition de l'obscurité humide des cathédrales européennes jusqu'à la violence des colonnes de lumière qui percent le couvert arboricole. On y navigue dans le calme absolu, tout en éprouvant une curiosité enfantine devant cet environnement nouveau et dépaysant. Pas d'alligator en vue, mais une multitude de tortues peintes qui se réchauffent sur des branches à fleur d'eau. De gros poissons coincés dans ce garde-manger peu profond fuient en éclaboussant nos bateaux.

L'environnement sonore atteint parfois un niveau inhabituel en raison de la multitude d'oiseaux qui trouvent refuge ici. Les canards branchus et leurs cousins colverts montrent leurs couleurs vives. Les balbuzards pêcheurs tournoient au-dessus des îles. Les grands hérons prennent lourdement leur envol d'un côté ou de l'autre. Un couple de bernaches du Canada monte sur la rive avec ses trois petits duveteux. C'est la vie dans ce qu'elle a de plus diligent et de plus coloré.

Ces zones boisées vont s'assécher rapidement aux premiers jours de l'été et les marais qui les encadrent souvent déborderont de végétation aquatique ou de magnifiques planchers de nénuphars dont le jaune des fleurs éclatera au-dessus de la verdure.

La rivière des Mille Îles dans ce secteur est suffisamment vaste pour permettre une cohabitation heureuse entre les embarcations motorisées et les kayaks ou les canots. Cela est principalement attribuable au fait que seuls les kayaks et les petites embarcations non motorisées peuvent accéder aux endroits les plus intéressants que sont les marécages dont le marécage Tylée, celui situé entre les îles Thibault et Morris, qui permet aussi d'accéder à la vision surréaliste des piliers du pont de l'autoroute 15, ou celui de la réserve faunique contenu au sud de l'île Chabot. Le passage entre certaines îles comme l'île aux Fraises et l'île des Juifs, alors que le courant s'accélère, est également fort agréable.

Mais c'est ce mélange d'infrastructures urbaines monumentales, de résidences luxueuses, dont le château de Céline Dion sur l'île Gagnon, de petits chalets pleins de charme et de la biodiversité remarquable de la rivière qui en fait un milieu unique à deux pas de l'effervescence de la ville.

Tortues peintes, rivière des Mille Îles

Aux quatre coins du Québec

Abitibi : le Parc national d'Aiguebelle

Dans cette immense plaine qu'est l'Abitibi, au milieu de ce plat pays où les eaux se séparent, on trouve une oasis de montagnes, de forêts et de lacs. Un paysage qui se raconte en commençant par : «Il était une fois, il y a des milliards d'années...»

Cet amphithéâtre naturel monumental qui date de 2,7 milliards d'années est maintenant contenu dans les 268 km² d'un parc de conservation qui porte le nom du chevalier Charles de Névair d'Aiguebelle, capitaine des grenadiers du régiment de Languedoc qui s'est démarqué par son courage durant la bataille de Sainte-Foy (avril 1760). Cette aire protégée fait partie du réseau des établissements de plein air de la Sépaq et de nos parcs nationaux.

Dans ce microcosme, tant les simples vacanciers que les passionnés de plein air, de nature, d'ornithologie, de kayak et de canotage découvrent un havre de paix à perte de vue. Un lieu où l'on ne peut faire autrement que de décrocher des stress de la vie. Un coin où s'isoler sous la tente comme dans un refuge rustique ou un chalet confortable.

Le lac Loïs

J'avais souvent entendu parler du Parc national d'Aiguebelle comme d'un véritable bijou trop peu connu. Un secret jalousement gardé. J'ai donc abordé ce territoire de forme presque carrée en passant en quelque sorte par la porte d'en arrière : la zone d'accueil Taschereau/Ojibway, située au nord. L'autre accès, plus fréquemment utilisé par les visiteurs en raison de la concentration des services et de la proximité de Rouyn-Noranda, est celui de Mont-Brun, au sud.

Dès notre arrivée au centre d'accueil du lac Loïs, nous avons sauté dans un des kayaks de mer qu'on propose en location pour aller explorer cette vaste et splendide étendue d'eau. Le lac Loïs, du nom de la fille du magnat de l'industrie forestière John Rudolphus Booth, a de quoi éblouir les plus désabusés. Son extrémité ouest loge dans une faille rectiligne de plus de 1 km de longueur. En marge de cette anfractuosité, le plan d'eau s'étend sur une superficie immense, couverte d'îles rocheuses et boisées. Nous avons longé les bords sur lesquels se succèdent des barrages de castor étrangement larges, plats et plaqués contre la falaise. Du jamais vu en ce qui me concerne.

Autour du lac, on accède en kayak à cinq sites de camping rustique magnifiquement aménagés dans des endroits paisibles et isolés qui offrent un magnifique point de vue sur le lac. On peut aussi camper sous la tente au très beau camping piétonnier Ojibway situé en bordure de l'eau, à deux pas du centre d'accueil. Le chalet La Demoiselle, un vrai rêve au bout du lac, accueille de quatre à six villégiateurs en tout confort. On y est seul au monde avec, devant soi, un panorama sauvage que les mots arrivent difficilement à décrire. Un quai et un site de mise à l'eau sont à la disposition des locateurs.

De là, nous avons fait une balade merveilleuse aux abords des marais de joncs

Pygargue à tête blanche

grouillants d'oiseaux et couverts de nénuphars. Les castors s'activaient sous nos yeux dès la fin de l'après-midi, transportant sans relâche des branchages jusqu'à l'aube. En glissant sur l'eau, on n'a qu'à admirer ce tableau de grand maître. Alors, vous pouvez en parler... mais pas trop !

～ Chaudière-Appalaches : le Parc national de Frontenac

Situé dans la région touristique de Chaudière-Appalaches, débordant au sud sur la région des Cantons-de-l'Est et presque à mi-chemin entre la vallée du Saint-Laurent et la frontière américaine, le Parc national de Frontenac reste à découvrir, notamment par les kayakistes du Québec.

Méconnu... et magnifique !

De tous nos parcs nationaux, Frontenac est effectivement l'un des moins connus et cela n'est en rien mérité. On s'étonne de trouver à quelques heures de route de Montréal et de Québec une région d'aussi vaste nature et de petits villages dont on a rarement entendu les noms. Disraeli, Sainte-Praxède, Saint-Daniel sont dispersés autour du secteur nord du parc, alors qu'on croise les localités de Stratford, de Stornoway et de Saint-Romain en faisant le tour du secteur sud. Ces agréables municipalités agricoles et industrielles ont un cachet bien particulier avec leurs champs vallonnés et les montagnes en arrière-plan. La pièce maîtresse de cette toile agreste est l'immense lac Saint-François situé non loin des lacs Aylmer, Maskinongé et Mégantic. Il s'agit d'un réservoir magnifique truffé d'îles, de grands bassins et de baies superbes.

Une excursion en kayak-camping

Le Parc national de Frontenac, quant à lui, couvre un territoire de 155 km² et préserve une partie des rives du lac Saint-François ainsi que quelques autres petits lacs, en plus de la très belle baie Sauvage, un large appendice du lac Saint-François. Cette dans cette partie du secteur sud du parc que s'est établi l'immense terrain de camping tout neuf qui compte certainement parmi les mieux aménagés du Québec. On y propose des accès directs au lac ainsi qu'un circuit de kayak-camping très intéressant.

On peut conséquemment partir quelques jours sur le lac et s'installer sur des sites de camping rustiques dispersés à cinq endroits sur la grande baie. J'ai particulièrement apprécié les sites portant les numéros 5 et 3 sur la carte du parc. Le site numéro 5 est situé tout au bout de la baie Sauvage, à l'embouchure des rivières Sauvage et Felton qui forment une agréable cascade rieuse. Le site, qu'on appelle aussi le Pygargue, compte quatre emplacements avec plateforme qui sont vraiment magnifiques, un peu en hauteur, à l'ombre d'un bois de grands pins blancs.

La vue sur le lac est terriblement bucolique. Un bel endroit d'où l'on peut parfois observer le pygargue à tête blanche, comme cela nous est arrivé. Les grands hérons y pullulent. Les martins-pêcheurs d'Amérique aussi, tout comme plusieurs autres espèces d'oiseaux qui feront les belles heures des amateurs d'ornithologie. Un inconvénient pour les amateurs de kayak de mer : la difficulté à débarquer sur les rives de certains sites de campement escarpés et rocheux. Il est sans doute un peu moins compliqué d'y accoster en canot.

Quant au site de camping sauvage numéro 3, le Balbuzard, il est situé sur une île au beau milieu de la baie. Extrêmement agréable, il est doté d'une petite plage qui permet un accostage facile et la baignade.

À environ 45 minutes de route du secteur sud, le camping de Saint-Daniel est tout aussi bien équipé en ce qui a trait aux infrastructures et aux activités. Il compte près d'une centaine d'emplacements, répartis sur trois sites le long du grand lac Saint-François. Et c'est vrai qu'il est étendu, ce plan d'eau impressionnant !

Le lac Mégantic
À droite : À l'ombre des pins blancs du Parc national de Frontenac

En kayak, l'exploration du marais au fond de la baie aux Rats Musqués, à partir de la capitainerie du secteur Saint-Daniel, se déroule dans un milieu naturel étonnant qui permet des observations fauniques remarquables.

~ Montérégie : le lac Brome et sa réserve faunique de Quilliams-Durrel

Les chalets le cernent. Les pêcheurs l'occupent. Les embarcations motorisées y règnent. Un lac tout ce qu'il y a de plus normal, quoi ! Qui devinerait que, juste en passant sous un pont qui enjambe la route de Knowlton, on peut accéder à un univers naturel extraordinaire : la petite réserve faunique de Quilliams-Durrel !

Située au nord-est du lac Brome, la réserve est sillonnée de quelques kilomètres de méandres et d'eaux mortes qui forment le ruisseau Quilliams. Sous le soleil de plomb et la canicule, on s'y croirait dans les Everglades. Partis du camping du Domaine des Érables, on navigue en constant état d'ébahissement dans ce milieu humide d'où les moteurs ont été bannis.

Sur ce chemin d'eau, les fameux canards du lac Brome viennent à nous constamment. Les martins-pêcheurs d'Amérique nous devancent subrepticement. Les tortues se prélassent sur les bois flottants. Les ratons laveurs courent dans les herbes hautes. Le bruant des marais qui chante sans se gêner ne semble pas émouvoir le gros crapaud qui roupille sur son nénuphar. On avance sans bruit, sur la tranche des pagaies, dans cette nature fascinante, ridant à peine la surface de l'eau et ne trahissant le silence que de

quelques exclamations : «Regarde devant ! Un grand héron qui reste figé sur son perchoir !»

Ce milieu naturel précieux et unique est protégé par un groupe de bénévoles de la municipalité de Lac-Brome. Il n'est mentionné sur aucun guide touristique ni sur aucune carte, mais les gens de l'Auberge Quilliams, située à la rencontre du lac Brome et de la réserve de Quilliams-Durrel, se sont promis de le faire connaître et apprécier à leur clientèle.

On trouve un accès public «non officiel» juste au sud du pont, avec suffisamment d'espace pour garer deux voitures.

～ Saguenay – Lac-Saint-Jean : le Parc national des Monts-Valin

À la mesure d'une immensité qui s'étire jusqu'aux confins de la nature sauvage, le Saguenay – Lac-Saint-Jean conduit les kayakistes de mer en rivière, de rivière en lac, de lac en ruisseau et de ruisseau en marais. Des écosystèmes nordiques à l'environnement boréal, la région est riche de milieux diversifiés, colorés et éblouissants comme les rives fascinantes du lac Kénogami, les lacs en altitude des monts Valin ou les doux rivages du lac Saint-Jean.

Les monts

De presque partout au Saguenay, on aperçoit au loin un imposant massif qui culmine à près de 1 000 m d'altitude et qui, pour la population régionale, est devenu un havre de nature, de paix et de liberté. L'environnement du massif des monts Valin est aussi excessif que les Saguenayens et les Jeannois eux-mêmes, avec ses accumulations de neige qui atteignent jusqu'à 5 m, ses arbres momifiés dans la neige et le givre, ses bourrasques de vent de plus de 100 km/h, sa température annuelle moyenne de 0 ºC, sa multitude de lacs, ses rivières turbulentes ou somnolentes, l'orignal, l'ours et le loup qui y

Rivière Valin, Parc national des Monts-Valin, Saguenay

Monts Valin, Saguenay

trouvent refuge... Voilà un terrain de jeu idéal pour les Bleuets ainsi que pour tous ceux qui veulent se mesurer à ce monument de roc !

On présente le Parc national des Monts-Valin comme étant «les yeux d'un royaume». À l'été, il est certain que le regard des gens du Haut-Saguenay est souvent tourné vers ces monts tellement ils prennent de place à l'horizon. En automne, les sommets, qui s'enneigent généralement dès octobre, sont toujours annonciateurs de l'hiver un mois plus tard. Comme l'air ambiant se refroidit de 1,8 °C par 300 m d'altitude, on enregistre sur la toiture des monts une température de près de 6 °C moindre qu'au niveau du Saguenay et, conséquemment, de la mer.

«Les yeux d'un royaume» nous offrent aussi, sur certains de ses 15 sommets de plus de 900 m, une vue extraordinaire sur la quasi-totalité de la région. Sur le pic de la Hutte (900 m), au bout d'un court sentier, on accède au plus éblouissant des panoramas régionaux, et certainement un des plus spectaculaires du Québec. Il est là d'un bout à l'autre, ce royaume, et on en distingue magnifiquement toutes les particularités géomorphologiques.

La rivière

La rivière Valin, avec ses nombreux méandres qui s'étirent jusqu'au pied des hauts caps, fait la joie des adeptes de kayak de mer et de canot-camping qui se laissent glisser sur ses arabesques. Tout cela, à un peu plus d'une demi-heure de route de Chicoutimi !

Charlevoix vue de l'eau...

Charlevoix occupe une place bien particulière dans le cœur et l'imaginaire des Québécois. On n'a plus à vanter ses beautés et ses charmes, la qualité exceptionnelle de sa lumière, la chaleur de ses auberges et l'extraordinaire sentiment de plénitude que procure cette région, complice de la mer comme de la montagne. Aux yeux des amateurs de plein air, ce coin de villégiature est avant tout synonyme de randonnée pédestre ou de sports d'hiver. Il est vrai que Charlevoix n'a pas encore taillé sa place parmi les destinations privilégiées des adeptes de kayak de mer. Or, sa côte est absolument éblouissante et les accès à l'estuaire du Saint-Laurent y sont plus nombreux qu'on ne le croit.

Notre longue expérience de Charlevoix nous a appris qu'il valait la peine d'en explorer tous les recoins pour découvrir les petits secrets dissimulés aux kayakistes qui passent sans regarder. Par exemple, ceux qui se dirigent vers le fjord ou la Côte-Nord et qui n'ont d'yeux que pour les splendeurs du paysage ignorent le panorama marin, qui contient pourtant un incessant défilé de fastes promesses. Au cœur de chaque ville et de chaque village, il y a un quai qui rappelle l'époque marquante des goélettes et du cabotage. Plusieurs chemins de travers plongeraient dans l'estuaire si le chemin de fer ne leur faisait barrage. L'arrière-pays recèle également son lot de plans d'eau fabuleux.

Charlevoix, phare du cap au Saumon

~ Deux parcs nationaux dans une réserve mondiale

Le Parc national des Hautes-Gorges-de-la-Rivière-Malbaie

C'est dans ce parc caché dans la ceinture des hauts sommets du cratère de Charlevoix que l'on trouve les plus hautes parois à l'est des Rocheuses. Il s'agit d'une zone protégée, incluse dans une aire qui a acquis le statut de Réserve mondiale de biosphère de l'UNESCO en 1989. De part en part du lit de la rivière Malbaie, il s'est produit une brisure dans la croûte terrestre il y a 800 millions d'années. Puis les glaciers ont sculpté ce corridor de géant et érodé ses sommets, mais ils n'ont pas réussi à réduire l'envergure grandiose de cette vallée dont les escarpements s'élèvent à plus de 800 m de hauteur.

À partir d'une ancienne écluse qui servait à contrôler le flottage du bois, le barrage des Érables, les eaux paisibles parcourent une dizaine de kilomètres. Elles se prolongent jusqu'au secteur de l'Équerre, où la faille fait un angle droit pour donner sur un cours d'eau plutôt connu pour ses rapides en aval. C'est sur cette section que l'on navigue en kayak de mer, non pas pour le sport mais pour la sensation unique de se retrouver au centre de ce tableau surnaturel, entre des murailles de pierre colossales.

Sur le secteur des eaux mortes de la rivière Malbaie

Le Parc national des Grands-Jardins

Ce parc, qui fait également partie de la Réserve mondiale de biosphère de l'UNESCO, compte pour sa part quelques lacs sauvages fort intéressants pour la navigation en kayak. Les amateurs de nature peuvent y observer à souhait la flore boréale ou alpine qui tapisse des étendues de bonnes dimensions et admirer au passage plusieurs animaux de nos forêts, dont le caribou qui y a été réimplanté. Les sites de camping sont situés à proximité des plans d'eau.

〰 **Excursion côtière**

La côte montagneuse charlevoisienne a de quoi éblouir tous les amateurs de kayaks de mer, surtout dans les environs de Petite-Rivière-Saint-François, des Éboulements, de Cap-aux-Oies et de Saint-Irénée jusqu'au fjord du Saguenay. Mais encore faut-il composer avec le jeu des marées qui peut mettre à nu de très larges battures, surtout dans les secteurs de Baie-Saint-Paul et de La Malbaie, qui ne s'appelle pas «la mauvaise baie» pour rien.

Aux abords du quai de Baie-Saint-Paul, on peut penser faire une incursion dans la rivière du Gouffre à marée haute. Plus au large, il faudra composer avec la présence de hauts-fonds, de longs estrans et d'un courant qui compte parmi les plus puissants de toute la voie maritime du Saint-Laurent. Cela ne rend pas impossible la pratique du kayak autour de l'île aux Coudres, loin de là, mais il est essentiel de bien connaître ses rivages et de se servir de la force motrice de la marée, du courant et du vent, dans la mesure du possible. Le vent semble d'ailleurs une constante d'un côté ou de l'autre de l'île. La traversée de la côte à l'île aux Coudres ne représente certes pas un projet séduisant et l'encadrement de professionnels est souhaitable.

Le secteur côtier le plus accessible et le plus pittoresque en termes de nature est sans doute le territoire occupé par le Parc marin du Saguenay – Saint-Laurent qui se prolonge au sud-ouest de l'estuaire du Saguenay. Sa frontière se situe à mi-chemin entre Cap-à-l'Aigle et Saint-Fidèle. Les prin-

La danse de la lumière et de la brume près du phare du cap au Saumon

cipaux lieux de mise à l'eau sont le quai de Cap-à-l'Aigle, celui de Port-au-Persil, qui est toutefois dans un état lamentable, et celui de Baie-des-Rochers au meilleur de la marée haute. Le pourvoyeur Katabatik, du secteur Cap-à-l'Aigle de La Malbaie, organise des sorties quotidiennes et des excursions à bord de ses bateaux de bois, le long d'une région côtière moins touristique et étonnamment inhabitée.

⁓ Charlevoix, la muse

Pour notre part, nous avions gardé pour la fin de notre grande tournée québécoise ce coin de pays que nous avions déjà exploré durant quatre années pour un autre ouvrage, mais où nous étions rarement retournés depuis. Nous désirions y puiser les couleurs de l'automne qui ont envoûté tant de peintres et d'artistes dont Charlevoix est devenue la muse. Mais ce tableau s'y colorant de plus en plus tardivement avec le réchauffement du climat, nous y sommes débarqués aux tout derniers jours de septembre, dans une saison indécise qui laissait percer le rouge de quelques érables en s'accrochant au vert et à la chaleur de l'été. Cet entre-deux affichait quand même une magie extraordinaire dont nous avons goûté chaque manifestation comme un grand spectacle.

Nous avons d'abord admiré Baie-des-Rochers, un hameau sublime situé entre Saint-Siméon et Baie-Sainte-Catherine. Je l'avoue, nous avons hésité à en parler, à l'instar de bien des gens qui le connaissent et qui, comme nous, voudraient qu'il soit toujours préservé. Le parc municipal qui s'articule autour du quai est généreusement offert aux amateurs de plein air par les citoyens de l'endroit qui l'aménagent et l'entretiennent. Un sentier de randonnée pédestre conduit à deux larges plages et à l'ancien chalet de Félix-Antoine Savard, qui avait fait de ce lieu son havre de repos et d'inspiration.

Hameau de Port-au-Persil
Pages précédentes : À *l'embouchure de la baie des Rochers*

Grand héron

La baie profonde et encaissée est dominée par une île imposante qui la couvre en bonne partie. Sa situation la protège généralement des vents dominants, si bien que l'on distingue facilement au large des vagues qui déferlent, alors que les eaux de la baie frissonnent à peine. Le problème tient au fait que la baie s'assèche complètement à marée basse, rendant la navigation impossible. On doit donc profiter de la fin du montant jusqu'au début du baissant pour mettre les kayaks à l'eau, faire le tour de l'île centrale et aller explorer les autres baies en amont où l'on observe, entre autres, des regroupements de grands hérons. Dès que l'on sort de la baie des Rochers, on s'expose au grand large et les conditions peuvent changer aussi radicalement que subitement.

Sur le secteur côtier, de Cap-à-l'Aigle à Baie-des-Rochers, il vaut mieux s'engager dans le sens du courant puisque l'on trouve peu de points de sortie et que la distance entre ces derniers est relativement importante. Il pleuvait le matin où nous avions prévu de naviguer entre Cap-à-l'Aigle et Port-au-Persil. Le brouillard s'était mis de la partie. Vraiment rien de tentant. La paresse nous aurait fait mettre de côté cette sortie mais, au fond, nous savons bien que c'est souvent ce genre de temps qui nous réserve les surprises les plus spectaculaires. Et de fait ! Nous avons suivi Sébastien Savard, Gabriel Secours et la journaliste Anne Pelouas sur cette route, dans un décor en perpétuelle mouvance et sous des éclairages hallucinants. Le hameau de Port-au-Persil, déjà enchanteur sous tous les temps, était chargé d'une ambiance de lourde mélancolie d'où émanait une impression d'éternité.

Comme cela s'observe souvent à la confluence des eaux marines et de la terre ferme, les bancs de brume se déplaçaient sans cesse, nous surprenant par leur arrivée soudaine. Nous enveloppant complètement. Nous quittant aussi soudainement qu'ils s'étaient pointés. La brume épousait sensuellement les formes de la falaise, léchant ses parois mollement et se suspendant comme un plafond opaque à mi-hauteur. Rien ne restait en place. L'horizon se bouchait complètement. S'assombrissait dramatiquement. Puis s'ouvrait sur un pan de ciel intensément bleu d'où le soleil restait absent. Dans ce décor vaporeux, la lumière fondait sur l'eau une teinte verte ondulante.

Au bout de chaque avancée rocheuse, les courants devenaient imprévisibles, formant des clapotis quelque peu déstabilisants ou repoussant l'embarcation au large jusqu'à ce que le fil de la marée et du courant reprenne sa régularité en s'alignant sur la berge. Juché sur le cap qui s'avance au loin, le phare du cap de la Tête au Chien semblait sortir d'un tableau de maître jusqu'à ce que ses feux percent le mince nuage qui faisait écran entre lui et nous. Le passage à ses pieds était chargé d'émotion aux souvenirs des familles qui ont

Pointe aux Alouettes

vécu là, dont les petits Carré de Saint-Siméon qui couraient pieds nus sur l'herbe avec leurs frères et sœurs. Et chaque coup de pagaie soulevait une nouvelle image s'écoulant goutte à goutte. Chaque regard gravait la mémoire d'un paysage impressionniste comme seule Charlevoix sait les peindre.

∼ Baie-Sainte-Catherine

Il y a de ces trouvailles que l'on fait puis que l'on voudrait garder pour soi et Charlevoix en regorge. Ce sont des perles rares pour les voyageurs, amants de plein air, des endroits encore relativement secrets que la masse des touristes n'a pas encore envahis, des havres de paix et de beauté où l'on peut se réfugier en intimité avec la nature.

Pour bien des Québécois, Charlevoix est une île définie par la rondeur du cratère, contenue entre Baie-Saint-Paul et La Malbaie, de la mer à la montagne. Mais ce n'est pas tout, loin de là. À l'extrême ouest, des cachettes couvent encore. Les murmures soufflent entre gens curieux, non conformistes, en quête d'une trace hors du sentier

Par exemple, on y a aménagé un superbe circuit de randonnée pédestre. Et puis la pointe aux Alouettes, un site historique de première importance, nous rappelle que c'est là que Samuel de Champlain a mis pied en Nouvelle-France, en 1603, et qu'il a négocié avec le grand Sagamo Anadabijou une alliance lui reconnaissant le droit de s'installer dans le Nouveau Monde.

Pour vivre une expérience incomparable dans cette baie profonde, on doit longer la rive en kayak de mer, puis suivre la pointe aux Alouettes et demeurer dans l'axe des hauts-fonds vers le large jusqu'à l'îlet aux Alouettes, cette petite terre émergée que l'on reconnaît de loin avec son grand panneau orangé installé pour guider la navigation. Ce secteur maritime est très particulier puisque d'immenses battures y émergent complètement à marée basse. Cela permet, si on navigue en parallèle avec l'estran, de pouvoir s'avancer de plusieurs kilomètres dans l'estuaire en ayant à peine plus d'un mètre d'eau sous la coque. De la pointe à l'îlet, on observe des centaines, sinon des milliers, de canards et d'oiseaux marins ainsi que de nombreux phoques. Le sol de l'îlet est couvert de nids de cormorans qui se dressent parfois à près d'un mètre de hauteur comme de petites tours de branchages entrelacés. Mais encore plus excitant, les petits rorquals, les bélugas et les marsouins sont très souvent dans les parages, spécialement au début de la marée montante alors qu'ils viennent s'alimenter. On aperçoit régulièrement des petits rorquals se nourrissant dans le secteur du quai ou sautant hors de l'eau *(breach)* à répétition.

battu. L'un de ces joyaux, Baie-Sainte-Catherine, reste pourtant le mal-aimé des villages charlevoisiens, même si des milliers de touristes y prennent les bateaux de croisière aux baleines. C'est le hameau qu'on oublie. Celui du bout, qu'on ignore et qu'on méconnaît. Dommage !

Il est vrai que, il y a à peine quelques années, Baie-Sainte-Catherine n'était que le village de l'autre côté de Tadoussac. Il était pauvre en hébergement, pauvre en services et pauvre en attraits. Mais il est faux de croire qu'on n'y trouve rien de remarquable.

Le fleuve majestueux, côté sud

 Rimouski et l'île
Saint-Barnabé

Au large de cette baie immense qui fait face à la ville, à quelque trois kilomètres de la berge, on distingue fort bien une île dessinée en longueur, qui souligne l'horizon et semble tout aussi accueillante que luxuriante. L'île Saint-Barnabé, ainsi nommée par Samuel de Champlain en 1603, n'est certes pas dénuée d'intérêt ; au seul point de vue ornithologique, elle abrite 72 espèces !

À l'abri du vent

Pour les kayakistes, qui sont presque toujours de grands observateurs de la nature, elle revêt en plus un autre intérêt : elle fait écran aux vents et aux vagues émanant du nord, de même qu'au courant du Saguenay ainsi qu'à celui du Labrador. Après s'être heurté à la remontée du chenal Laurentien devant Les Escoumins, le courant glacial, qui a longé le Labrador et toute la Côte-Nord, dévie vers la Côte-du-Sud et vient frapper dans la région de Rimouski. C'est d'ailleurs ce qui explique que, lors du fameux «Déluge» de 1996 au Saguenay, une part des débris emportés par le fjord sont venus s'échouer à Rimouski. Il est aussi arrivé que des kayaks perdus à la dérive dans la rivière Saguenay aboutissent là.

Quand se mêlent le rêve et l'histoire

Outre ces détails anecdotiques, l'île Saint-Barnabé fait de la baie de Rimouski un site de kayak privilégié sur le fleuve même s'il commence à peine à être connu et exploité.

En plus de pouvoir admirer son environnement quand on pagaie à proximité, on peut à loisir s'imaginer l'épopée d'un personnage qui a habité cette île à partir de 1728 et qui est devenu légendaire. Comme dans bien des histoires de cette nature, les versions divergent, mais c'est ce qui fait la beauté de la chose. Selon la plupart des récits, Toussaint Cartier, un jeune homme originaire de la Bretagne, aurait choisi de vivre en ermite sur l'île Saint-Barnabé après la mort tragique de sa belle. Fasciné par l'endroit, il s'y serait rendu en chaloupe avec Louise et un rameur. Il y serait descendu seul pour la visiter, laissant le rameur et sa fiancé sur l'eau du côté de la baie, mais un orage soudain aurait fait sombrer la barque sous ses yeux. Le Breton aurait enterré le corps de son amoureuse sur l'île et passé le reste de sa vie à ses côtés en laissant planer le mystère le plus complet.

Lorsqu'on glisse lentement sur les eaux du Saint-Laurent et du Saguenay, en symbiose avec le rêve, c'est le moment idéal pour songer à de tels récits fabuleux. Le kayak nous le permet si bien ! Chaque île, chaque baie, chaque cap a sa petite histoire, ses drames, ses personnages, ses légendes, ses vérités et ses mensonges. Ils nous disent que des siècles de vie nous ont précédés sur ces rivages que, dans notre ignorance, nous pensons sauvages et sans antécédents, en ces lieux où nous voudrions parfois nous faire croire que nous sommes les premiers.

Le vrai plaisir de la découverte s'accompagne de la connaissance du passé

Kamouraska, Bas-Saint-Laurent

puisqu'il n'y a probablement pas un centimètre des milliers de kilomètres de nos côtes qui n'ait été foulé un jour par les autochtones, les Basques ou les Bretons, par les chasseurs de baleines ou les pêcheurs de morues, par les explorateurs, les trappeurs ou les coureurs des bois, par les naufragés et les naufrageurs, par les gardiens de phares ou de rivières, puis par les touristes de tout acabit... et maintenant par les kayakistes. Le bonheur que nous pouvons tous nous offrir, ce n'est pas d'être les premiers à fouler un sol, mais plutôt d'ajouter notre empreinte par-dessus celle des personnages de l'histoire ou de la légende qui y ont laissé leur marque.

∼ Le Kamouraska

Le Kamouraska, comme on dit dans ce pays, n'est pas vraiment une région, bien que ce concept soit tout à fait établi dans l'esprit et le cœur de ceux qui l'habitent, au même titre qu'en Beauce ou dans Portneuf. Légalement, il faudrait plutôt parler d'une municipalité régionale de comté (MRC) d'une superficie de 2 256 km^2, qui regroupe 18 villes et villages. Le Kamouraska fait donc partie du Bas-Saint-Laurent et est contenu entre les régions de L'Islet (Chaudière-Appalaches), de Rivière-du-Loup et du Témiscouata.

Géographiquement, la région se démarque par le lien qu'elle établit, entre montagnes

Sortie dans l'archipel de Kamouraska

et vallées agricoles, de la chaîne des Appalaches à l'estuaire du Saint-Laurent. Le relief
en douceur y est quand même escarpé dans
l'arrière-pays où se trouvent les monts
Notre-Dame. Les terrasses agricoles se dissimulent entre les replis du territoire jusqu'au
littoral, qui se différencie du reste de la côte
par la présence de trois archipels : les Pèlerins, les îles de Kamouraska et celles qui
entourent l'île aux Lièvres, ainsi que par une
manifestation géologique singulière, les
« monadnocks ». Ce terme bizarroïde, directement emprunté à la terminologie savante
des géologues, désigne un buton isolé ou

une petite montagne de quartzite qui a
résisté à l'érosion des glaciers en étant plus
dure que la roche environnante. Aujourd'hui
encore, on en trouve en plein champ ou sur
les battures du fleuve, tout spécialement
dans la région du Kamouraska.

Dans ce paysage idyllique sont venus
s'installer, au XIXᵉ siècle, nombre de villégiateurs fortunés, leur transport étant grandement facilité par la présence du chemin de
fer, le Grand-Tronc, qui les reliait à tout le
reste de l'Amérique du Nord. C'est ainsi que
les communautés de Notre-Dame-du-
Portage, de Saint-Pascal et de Kamouraska

se sont fait connaître et se sont parées d'une longue succession de superbes villas au fil de leur côte. Déjà, en 1813, l'arpenteur Joseph Bouchette affirmait que Kamouraska était «célèbre dans la province pour son climat sain». «Aller à l'eau salée veut dire aller à Kamouraska», écrivait, en 1873, Arthur Buies, journaliste et premier chroniqueur voyage. Quant à ce nom musical et exotique au possible, il viendrait de l'algonquin et désignerait une rive où l'on trouve du jonc.

L'archipel de Kamouraska

Durant la grande tournée que nous avons menée pour compléter ce livre, nous avons effectué de très nombreuses sorties dont plusieurs resteront longtemps gravées dans nos mémoires. Les excursions que nous avons faites dans le secteur de l'archipel de Kamouraska demeureront toujours haut placé au classement des meilleurs moments que nous avons vécus en kayak de mer.

Ce milieu géologique d'une qualité exceptionnelle nous met en présence d'une faune marine non moins extraordinaire. En prime, nous avons pu profiter des meilleures conditions imaginables. La plus belle journée de l'été sur le fleuve. Plein soleil ! Magnifique ciel bleu parfaitement dégagé ! Pas un souffle de vent, si ce n'est une légère brise pour nous rafraîchir dans la canicule ! Pas une ride sur la mer polie comme un miroir ! Ajoutez à cela des foules d'oiseaux marins, des phoques, des bélugas au large et, surtout, des compagnons et des compagnes kayakistes on ne peut plus affables, et vous avez là plus d'ingrédients qu'il n'en faut pour en arriver à une note parfaite et à quelques étoiles dorées en marge du cahier.

L'archipel de Kamouraska comprend cinq îles : l'île aux Corneilles (la plus longue), l'île Brûlée (plus au nord), la Grande Île (à l'est), l'île de la Providence et l'île aux Patins (au centre), aussi nommée l'île du Pêcheur, ainsi que plusieurs îlots et rochers dont il faut se méfier lorsqu'ils refont surface au changement des marées. Le gouvernement fédéral possède trois îles (Brûlée, de la Providence et Grande Île) dont il a fait des zones protégées ; elles font partie de la Réserve nationale de faune des îles de l'estuaire. Les deux autres (aux Corneilles et aux Patins) sont des propriétés privées.

«Marée» constitue le mot clé pour les kayakistes qui se rendent un peu partout sur la rive sud du Saint-Laurent, et encore plus à Kamouraska. Effectivement, dans cette fabuleuse petite ville historique, il n'est pas question de mettre à l'eau à marée basse tant est large l'estran qui s'y dégage. Ici, encore plus qu'ailleurs, il faut attendre la fin du montant pour approcher les embarcations à partir du quai municipal et revenir avant que l'eau se soit trop retirée. Dans les meilleures

Un groupe au repos sur une des îles de l'archipel de Kamouraska

conditions, comme celles que nous avons vécues, cela signifie une excursion tôt le matin et une seconde au coucher de soleil.

La sortie classique consiste à contourner ou à longer les îles une à une et à s'avancer ainsi dans l'estuaire tout en profitant de la protection des falaises abruptes. Cela donne amplement l'occasion d'admirer ces rochers austères composés de roches dures et très résistantes à l'érosion : les quartzites. Les îles constituent aussi un lieu de nidification privilégié pour les eiders à duvet, qu'on aperçoit en grand nombre, de même que pour les canards noirs, les cormorans à aigrettes, les grands hérons, les goélands, les macreuses, les guillemots à miroir, les petits pingouins et les bihoreaux qui les fréquentent. Le spectacle le plus étonnant reste celui des cormorans, principalement ceux de l'imposante colonie de l'île Brûlée ; d'ailleurs, on saisit fort bien l'à-propos de ce nom devant tous ses arbres, desséchés jusqu'à la brûlure par leurs fientes acides, qui leur servent de nichoirs et de perchoirs. Ailes déployées au

grand vent pour les faire sécher, ils suivent du coin de l'œil le mouvement des kayaks, prêts à s'envoler à la moindre menace. Quelques goélands à manteau noir cohabitent avec eux sans difficulté apparente.

Plus loin, à l'écart de la Grande Île, les fonds se creusent certainement puisque les bélugas occupent cet espace avec une grande régularité. Imprévisibles, ils se manifestent parfois près des kayakistes de façon totalement surprenante. Ces derniers cessent alors leur course pour les laisser s'ébattre et se déplacer sans contrainte. Les bélugas nageaient très rapidement lors de notre passage et n'apparaissaient que quelques secondes en surface afin de reprendre leur souffle.

Le soir venu, notre complice Pierre Lemire, de Sebkayak, qui est le pourvoyeur local et qui gère la halte écologique de la batture de Saint-André de Kamouraska, avait invité famille et amis pour ce qui allait devenir LA sortie de l'été. Devant nos yeux éblouis, le soleil embrasé a sombré derrière les hauts sommets de Charlevoix et a continué·de projeter ses flammes au-dessus du massif bien après qu'il eut disparu. La mer en est devenue tendrement rosée et infiniment apaisée

Une halte écolo

Site de camping unique en son genre, la halte écologique de Saint-André est dédiée principalement au camping sauvage (bien que les petites autocaravanes puissent y trouver place sans problème) et aux activités de plein air. Comme plusieurs emplacements de camping sont situés à la laisse du fleuve, on pourrait aisément y partir en kayak dans les herbes hautes. On s'attendrait à ce qu'il s'agisse d'un parc national ou régional, mais

Goélands argentés, petite passe entre les îles

Le coucher de soleil sur l'archipel de Kamouraska, un des plus beaux qui soient

l'endroit est bel et bien privé, géré par un organisme sans but lucratif qui veille à la préservation de la nature et au développement économique local.

Située sur un de ces fameux «monadnocks» qui surplombent le Saint-Laurent et l'archipel des Pèlerins, la halte possède un réseau élaboré de sentiers de randonnée pédestre qui vont de la plaine agricole jusqu'à la montagne en longeant les battures de Kamouraska. Ces sentiers sont d'ailleurs très bien aménagés et très diversifiés côté environnement puisque, sur une courte distance, ils passent du sous-bois au rocher puis à la grève, en traversant les écosystèmes spécifiques de tous ces milieux. Ils nous font ainsi goûter la fraîcheur et la luxuriance du sous-bois où chaque groupe de plantes est identifié. Les portions de

sentier les moindrement difficiles sont dotées d'infrastructures souvent impressionnantes : escaliers, terrasses à paliers multiples et belvédères. Les points de vue spectaculaires se succèdent au-dessus des grandes vallées fertiles, des battures et de l'estran très larges ainsi que de l'estuaire du Saint-Laurent dont on a peine à deviner la rive Nord (au niveau de Charlevoix) lorsque le temps chaud érige un mur opaque de brume.

Coucher de soleil

Partout où l'on va sur la Côte-du-Sud, de Québec jusqu'à Forillon, chaque endroit se vante d'avoir le plus beau coucher de soleil de la côte. Il est vrai que le soleil baissant est absolument grandiose lorsqu'on l'admire à partir de la rive sud du Saint-Laurent, au pied des Appalaches, alors qu'il disparaît derrière les montagnes des Laurentides. Mais qui a le plus beau spectacle ? Impossible à dire ! Trop de facteurs interviennent dans ce jugement, le premier étant la météo.

Quant à moi, je trouve qu'il n'y a rien de plus semblable à un coucher de soleil en mer qu'un autre coucher de soleil en mer, peu importe où il se déroule. Pour qu'un coucher de soleil sur l'eau soit caractérisé, il faut qu'il se démarque par la géographie des lieux en étant modulé par des montagnes, par des îles ou par tout ce qui lui donne un peu de relief et une identité propre. À ce titre, le coucher de soleil du Kamouraska, voire de la Côte-du-Sud, a tout ce qu'il faut pour faire partie des ligues majeures, mais disons que la halte écologique peut être considérée comme l'un des meilleurs endroits pour l'admirer !

～ Le Parc national du Bic

Au large du débarcadère, des kayakistes s'éloignent entre les bouées du chenal alors que la marée commence à s'élever. Peu de temps auparavant, le havre du Bic était asséché en grande partie, parsemé de pierres erratiques ou de galets gris, et il n'y avait plus qu'un mince filet d'eau s'échappant vers l'estuaire. Au loin, la brume cerne l'île Brûlée et l'île du Massacre. Elle les encercle à la base et les contourne comme une nuée de mystère tout en créant l'impression que ces îlots sont suspendus dans l'espace. Le brouillard, souvent dense et constamment en mouvement, s'accroche aussi au creux des vallées escarpées définies par les hauts sommets du parc qui forment une frange massive posée sur la côte. Dans un même souffle, le vent

Parc national du Bic

échappe des haleines fraîches venues du large, puis efface le frisson d'une caresse chaude en provenance des terres.

Une région sur mesure pour le kayak

Avec nous, un groupe on ne peut plus hétéroclite découvre les beautés de ce secteur du Bas-Saint-Laurent ainsi que, pour la plupart, les plaisirs du kayak de mer. Ils sont magnifiquement encadrés, ou plutôt accompagnés, par une brigade de guides du pourvoyeur rimouskois Rivi-Air Aventure. Ce groupe nous semble parfaitement représentatif des arrivées quotidiennes de touristes séduits par l'idée de vivre une expérience en kayak de mer dans une région sur mesure pour ce faire. Il s'agit généralement d'une clientèle d'âge mûr, ce qui n'exclut pas la présence de jeunes couples et de quelques adolescents.

Des parents accompagnent aussi leur jeune progéniture en biplace, assumant la tâche de devoir pagayer pour deux. Belle comme un ange, la petite Alysé dort profondément, appuyée sur le rebord de l'hiloire central du biplace que ses parents conduisent de main de maître. Bercée par le roulis, elle rêve sans doute aux animaux de peluche

Groupe de kayakistes en radeau, Parc national du Bic

qui habitent son lit de moussaillon et qu'elle croyait peut-être voir en vrai durant cette excursion. Il y a des Européens, des Américains, des Québécois de diverses provenances qui pagaient de tout leur cœur contre le vent comme de vaillants navigateurs. Un beau groupe, quoi ! Et il passe chaque jour trois groupes d'environs 25 personnes de la sorte, sans compter les kayakistes autonomes.

Les préparatifs ont été longs et minutieux puisqu'on ne dispose que de quelques dizaines de minutes pour expliquer les techniques élémentaires, les particularités du kayak de mer ainsi que toutes les règles de sécurité. Une fois en mer, tout le monde est un champion malgré les diverses façons de pagayer qui s'apparentent plus souvent au canot ou au kayak d'eaux vives. À force de piocher, on fait glisser rapidement le kayak, et la sensation est bonne. Après une vingtaine de minutes sur l'eau, les guides stoppent le groupe devant l'île Brûlée et en profitent pour parler de l'environnement marin ou pour raconter l'une ou l'autre des nombreuses légendes du coin tandis que les retardataires rejoignent le peloton.

L'excursion s'adapte aux conditions climatiques. Au vent qui se lève. À l'orage qui menace. Et sans que personne s'en rende compte, le groupe reste à l'intérieur du havre plutôt que de sortir au large. Les pagayeurs s'arrêtent de nouveau à l'ombre du cap Enragé, où il est interdit de mettre pied, puis contournent l'anse aux Bouleaux Est avant de longer l'île aux Amours et de se faire raconter l'histoire des gars des environs qui trouvaient le moyen de convaincre les belles de venir randonner avec eux sur l'île,

La belle Alyzé s'est endormie bercée par les flots, Parc national du Bic

accessible à pied à marée basse mais coupée du continent à marée haute. Puis il y a le fameux profil de l'Indien qui se dessine sur une paroi rocheuse de l'île, tel un gardien immobile et attentif.

Fort malheureusement, si les kayakistes s'étaient engagés au-delà du cap Enragé, ils n'auraient pas pu entrer dans la magnifique anse à l'Orignal qui est une zone de préservation marine et terrestre. Ce secteur demeure interdit à la navigation en kayak, ce qui prive les navigateurs de l'accès au plus beau secteur marin du parc et les oblige à contourner cet espace au large du récif de l'Orignal. Les kayakistes sont ainsi exposés aux conditions climatiques du large qui sont souvent difficiles. Mais si le temps est bon, on peut donc passer en dehors de l'anse jusqu'au cap à l'Orignal, puis entrer dans la baie du Ha! Ha! En la longeant ou en coupant droit vers la rive, on atteint la Coulée, un site de camping réservé aux kayakistes, aux cyclistes et aux marcheurs.

Le parc des phoques

Le Parc national du Bic est remarquable du fait que, dans un espace restreint de 33,2 km², il offre une concentration exceptionnelle d'écosystèmes marins et terrestres. Sur ce territoire de transition entre la forêt feuillue et la forêt boréale, on est forcément fasciné par les impressionnantes barres rocheuses qui s'alignent parallèles au fleuve et dont les surplombs s'élèvent jusqu'à 120 m. Le point culminant du parc, le pic Champlain, atteint 346 m d'altitude. En kayak de mer, on y observe d'intéressants marais, des flèches littorales, des plages, des baies, des anses, de même que plusieurs îles et pointes rocheuses.

L'eider à duvet fréquente en bon nombre ce milieu, nichant principalement sur l'île Biquette située au large du cap à l'Orignal. Mais les voyageurs viennent surtout kayaker ici pour rencontrer les phoques gris et les phoques communs (l'emblème du parc), qui ne manquent pas de venir jeter un œil sur les bateaux colorés croisant leur territoire. Si on a la chance de les apercevoir, on les voit sortir la tête de l'eau, on les entend respirer et, parfois, on distingue tout leur corps lorsqu'ils nagent en surface ou, encore mieux, lorsqu'ils se font chauffer au soleil sur les rochers ou sur les plages. Le coucher de soleil sur l'eau, vu à partir du nord du cap Enragé ou du côté de la baie du Ha ! Ha !, représente aussi un grand moment en kayak de mer.

Le Parc national du Bic propose plusieurs terrains de camping, dont celui de la Rivière-du-Sud, réputé pour être très bruyant puisqu'il s'étire le long de la route 132, entre deux escarpements prononcés où les camionneurs s'en donnent à cœur joie. Le train passant dans cette vallée ajoute au bruit ambiant, répercutant le son comme un amphithéâtre grec. Le camping Rioux, près de la baie du Ha ! Ha !, est infiniment plus intéressant, plus paisible et plus panoramique. Mais qu'on soit au camping ou dans un des charmants gîtes du village du Bic, il faut se déplacer jusqu'à la rampe de mise à l'eau de la marina pour pouvoir déposer son kayak sur le havre du Bic. Des frais sont exigés.

Les phoques font la belle vie dans le Parc national du Bic

Le Sentier maritime du Saint-Laurent

Une route à suivre tout au long du Saint-Laurent

Un sentier maritime est un réseau de mises à l'eau, d'abris sécuritaires, d'aires de repos, de services d'hébergement et d'alimentation, de campings rustiques et commerciaux. Il s'agit d'une voie navigable, non balisée, conçue pour les petites embarcations à faible tirant d'eau, principalement pour le kayak de mer.

Ainsi se lit la définition énoncée par la Fédération québécoise du canot et du kayak.

Au départ, deux groupes de promoteurs ont amorcé la mise en place de fragments du Sentier maritime du Saint-Laurent : la Route bleue du sud de l'estuaire, qui couvre le territoire de Montmagny à Métis-sur-Mer, et la Route bleue Manicouagan, entre Tadoussac et Baie-Trinité. Ce sont les Comités d'intervention prioritaire (ZIP) de la rive nord et du sud de l'estuaire qui réalisent ces projets. Leur contribution consiste à cartographier et à documenter les particularités régionales du guide de l'utilisateur.

Le guide de l'utilisateur créé pour présenter ce concept est le principal outil d'éducation et de sensibilisation des usagers du Sentier maritime du Saint-Laurent. Il a pour objectif d'inciter les usagers à respecter la propriété privée et les milieux fragiles. Les sites autorisés par les propriétaires y sont identifiés et des zones tampons sont proposées. Le guide propose de plus une documentation étoffée sur les itinéraires possibles, les conditions de navigation, la sécurité nautique, les attraits particuliers, le patrimoine historique, les services disponibles et l'éthique du navigateur. Les usagers du Sentier maritime du Saint-Laurent doivent adhérer à la Fédération québécoise du canot et du kayak pour obtenir gratuitement le guide de l'utilisateur avec les cartes des routes bleues.

Une solution harmonieuse

L'existence d'une telle initiative démontre l'importance croissante de la pratique du kayak de mer sur le Saint-Laurent. Les kayakistes qui connaissent ces rivages savent à quel point ils peuvent être précaires et fragiles. Les marées y dévoilent de très larges estrans abritant une flore et une faune qui supportent mal le piétinement ou le contact avec les embarcations à faible tirant d'eau. Les sites de mises à l'eau s'avèrent également très rares et les endroits où l'on peut accoster sont presque toujours privés. Ce qui s'annonce, pour le moins, très limitatif.

La création d'un sentier maritime représente conséquemment une solution extrêmement intéressante dans les régions fluviales puisqu'elle contribue certainement à harmoniser les relations entre les propriétaires riverains et les utilisateurs. Mais ce n'est pas tout. Voilà un outil extraordinaire pour mettre sur pied et gérer un nouveau circuit écotouristique maritime avec ses infrastructures et ses services ainsi que pour en faire la promotion. À cela s'additionnent un impact environnemental certain et un pouvoir de sensibilisation au milieu écologique des plus positifs. Que du bon !

Ce projet a été mis en branle au printemps 2002 au Québec. Une première étude a été réalisée et des sites potentiels ont été répertoriés d'un bout à l'autre du territoire visé. Les comités ZIP ont produit un guide comprenant plusieurs itinéraires de différents niveaux de difficulté et des distances variées.

En novembre 2003, la Politique nationale de l'eau adoptée par le gouvernement du Québec précisait que la Fédération québécoise du canot et du kayak constituait l'organisme de prédilection pour soutenir, en collaboration avec Tourisme Québec et les associations touristiques régionales, le développement du Sentier maritime du Saint-Laurent en supervisant la coordination, l'encadrement et la promotion. La Fédération représente donc maintenant le point d'ancrage central du projet et la source première d'information.

~ Ailleurs sur le continent

Il existe un autre sentier maritime au Québec, le Sentier maritime du Saguenay, qui propose un itinéraire d'une centaine de kilomètres sur le fjord. Le Sentier maritime des Mille Îles, en Ontario, a été officiellement lancé à l'automne 2000. Le Sentier maritime de la Nouvelle-Écosse a suivi, et une première section pilote a été inaugurée au printemps 2001. On a aussi entendu parler de deux autres projets : le corridor historique de la rivière Richelieu, relié au lac Champlain, et celui de la rivière Saint-Jean au Nouveau-Brunswick.

En Amérique du Nord seulement, on trouve plus de 40 sentiers maritimes élaborés sur le modèle du tout premier à avoir été mis sur pied, le Maine Island Trail Association. Il demeure étonnant de constater à quel point ce projet initial a su rallier la population côtière, le meilleur exemple étant la journée de nettoyage de la côte au printemps 2001 qui a mobilisé près de 5000 bénévoles. L'idée du Sentier maritime du Saint-Laurent a d'ailleurs été introduite par André Bergeron, un membre fondateur du Maine Island Trail Association, en 1984. Le modèle américain a fait des petits au point qu'on a créé une association pour regrouper les sentiers maritimes et appuyer les nouveaux projets : le North American Water Trail Association. Il est intéressant de noter que ces initiatives conçues principalement pour le kayak de mer et le canot ont suscité l'intérêt des amateurs de voile ou d'autres types d'embarcations.

L'embouchure du fjord du Saguenay et la baie de Tadoussac
Pages suivantes : Un grand héron se pose au faîte d'un arbre

LES KAYAKISTES

Des rassemblements
Des clubs
Des individus

Des rassemblements

Je pagayais en direction du cap au Leste, admirant devant moi cette nature colossale qui fait partie de l'éternité. Puis je me suis retourné et j'ai vu derrière moi plus de 200 kayaks de mer tachetant de leurs couleurs vives les eaux sombres du fjord du Saguenay... Fabuleux ! Il s'agissait du premier grand rassemblement de kayakistes auquel je participais, le Challenge Saguenay.

Ces rassemblements, plus nombreux d'année en année, sont autant de prétextes à la fête, aux rencontres et aux retrouvailles. Ils offrent la chance de faire ce que peu de kayakistes ont l'occasion de vivre, soit des sorties en groupe. Ils forment un circuit touristique extrêmement intéressant pour quiconque veut les suivre puisqu'ils sont répartis sur les deux rives du Saint-Laurent, de la région montréalaise jusqu'au golfe, ainsi que sur de vastes plans d'eau intérieurs et sur le fjord du Saguenay.

Plusieurs de ces rassemblements comportent un volet compétitif, mais le programme participatif, ouvert à toutes les catégories de kayakistes, attire généralement beaucoup plus d'amateurs. Ils réunissent des personnes qui partagent très souvent les mêmes intérêts pour le voyage et le plein air, en plus de leur engouement pour le kayak de mer en tant que sport et comme embarcation. On y admire des kayaks de bois qui sont de véritables chefs-d'œuvre et dont

Derniers ajustements avant le départ du Challenge Saguenay
Page 258 : Challenge Saguenay   *À droite : Le moment de la mise à l'eau*

Toute la famille à bord, Challenge Saguenay

les artisans ne sont pas peu fiers. On découvre les kayaks issus des dernières technologies. On se pâme devant des techniciens extraordinaires pour qui l'esquimautage est un jeu d'enfant. Plusieurs en profitent pour s'initier puisque des groupes proposent des cliniques pour les débutants ou les navigateurs plus avancés. Mais, et c'est de loin le plus important, toute la confrérie des kayakistes s'y retrouve sans vedettes ni maîtres à penser, pour le simple plaisir d'être ensemble, de se raconter leurs voyages, de parler de leurs jouets aquatiques et de fraterniser spontanément.

Ces événements proposent toujours une découverte excitante de la région où ils se déroulent, en plus d'assurer un encadrement sécuritaire aux participants. Et, avec l'esprit festif que l'on connaît aux kayakistes, les réjouissances finissent toujours par l'emporter.

Sur l'eau, protection obligatoire, Challenge Saguenay

∼ Jours de fête à Piopolis

Le premier rassemblement de kayakistes de l'année se déroule habituellement à la fin mai, dans les Cantons de l'Est. Les organisateurs, un groupe d'amis réunis sous la bannière du site Internet *Le Kayak de mer dans le Nouveau Monde*, ont mis sur pied cette fête informelle qui attire de plus en plus de kayakistes. Plusieurs manufacturiers et distributeurs viennent y montrer leurs produits ou même les faire essayer. Mais c'est vraiment l'ambiance amicale et décontractée qui domine lors de cet événement, dont le programme s'adapte au jour le jour aux conditions climatiques ainsi qu'aux envies des participants.

Le site choisi se prête magnifiquement à ce genre d'activité puisque le petit camping municipal de Piopolis donne directement sur le sud du lac Mégantic ; on y campe littéralement aux abords de la plage, ce qui facilite

Kayak de toile avec armature en bois sous voile

d'autant la mise à l'eau. Si l'on pouvait toujours camper ainsi au bord des lacs, avec son kayak le nez dans l'eau, prêt à s'élancer... Imaginez le rêve ! Il s'agit vraiment d'un endroit à retenir pour les kayakistes de la

Plusieurs participants au Grand rassemblement de Piopolis utilisent des kayaks de bois

Départ sous la pluie, camping de Piopolis

grande région montréalaise, de Sherbrooke ou d'ailleurs. D'autant plus que, une fois qu'on l'a trouvée, la petite municipalité de Piopolis s'avère une découverte en soi. Il s'agit d'un merveilleux village plein de charme et extrêmement ouvert à la pratique du kayak de mer. On y trouve d'ailleurs près du quai un locateur et un petit café dédié aux kayakistes.

Piopolis... Même la Commission de toponymie du Québec souligne la singularité du nom ! Il provient du grec, comme on s'en doute, et signifie littéralement *ville de Pie*. Il y aurait eu, en effet, quelques zouaves pontificaux au nombre des premiers colons venus s'installer dans ce secteur au début des années 1870. Les zouaves étaient les défenseurs du pape Pie IX lors de la troisième tentative de Garibaldi de prendre Rome en 1867. Tout le monde sait ça !

Toujours est-il que la petite baie de Piopolis est très bien située sur le lac Mégantic puisqu'elle donne sur l'une des portions les plus tranquilles de ce grand plan d'eau, qui fait 20 km de longueur sur 7 km de largeur. À l'extrémité sud du lac, on entre dans une zone humide particulièrement intéressante. La rivière Arnold, du nom du colonel Benedict Arnold qui se perdit avec ses troupes dans ses marécages lors de la première tentative d'invasion américaine en 1775, nous permet d'accéder aussi rapidement que facilement au lac des Joncs, exigu et sauvage. À partir de ce cours d'eau, on peut aussi glisser dans des canaux qui pénètrent dans des territoires de hautes herbes où la flore et la faune nous réservent une succession de belles observations.

Dans la région immédiate, plus près de la municipalité de Lac-Mégantic, le camping Baie des Sables, plus grand et plus équipé, offre également un accès au lac pour les kayakistes.

Le charmant village de Piopolis

Marécages sur le lac Mégantic

∼ Trois-Pistoles : le Défi des Îles

À la mi-juillet, le temps d'un week-end, la magnifique municipalité de Trois-Pistoles devient le centre du petit monde des kayakistes québécois. Située au milieu de la côte du Bas-Saint-Laurent, entre Rivière-du-Loup et Rimouski, Trois-Pistoles affiche tous les charmes et tous les mystères que lui ont légués des siècles d'histoire. Riveraine de l'estuaire du Saint-Laurent, elle jouit d'une situation géographique particulière en se trouvant dans l'axe de l'embouchure et du seuil du fjord du Saguenay, qui rejette vers elle des courants froids. Ce phénomène lui permet de profiter d'un environnement propice aux mammifères marins ainsi que d'une flore et d'une faune maritimes des plus luxuriantes. Il provoque par ailleurs de fréquents brouillards, qui ajoutent certes à la magie des lieux mais compliquent toutefois la navigation.

Il n'en reste pas moins que Trois-Pistoles, à partir de son quai qui est également le débarcadère du traversier vers Les Escoumins, constitue l'un des meilleurs lieux de mise à l'eau et d'excursion sur la Côte-du-Sud. L'amplitude des marées s'avère importante au point de vider complètement la marina locale où les bateaux reposent sur le fond à marée basse. Cela n'empêche quand même pas les kayakistes d'apporter leurs embarcations jusqu'à l'eau même si cette opération reste plus agréable et facile sur la laisse.

Les amateurs de kayak de mer du secteur ont élaboré une formule originale, si ce n'est unique, afin de se doter de l'équipement nécessaire à la pratique de leur sport.

Traversier Saint-Siméon Rivière-du-Loup

Ils ont fondé la Coopérative de kayak de mer des Îles qui offre à ses membres de mettre en commun une flotte de qualité et tous les équipements. Les membres doivent initialement acheter une part sociale de quelques centaines de dollars, pour pouvoir ensuite louer leur kayak et tout le reste à la sortie pour un coût modique. La coop, dont les bureaux sont situés à une minute du quai de Trois-Pistoles, se finance aussi en organisant des sorties guidées, spécialement au coucher de soleil qui est particulièrement spectaculaire à cette hauteur de la rive sud du Saint-Laurent.

La coop organise également l'un des grands rassemblements de kayakistes de l'été. Baptisé le Défi des Îles, l'événement comporte des volets participation et compétition, qui se déroulent dans les deux cas de façon relativement non officielle et assurément amicale. Le Défi commence habituellement le vendredi soir par une sortie au coucher de soleil qui permet une très plaisante découverte des lieux. À l'est, à peu de distance du quai, on trouve les îlets d'Amour qui sont reliés à la côte à mer basse, mais qui retrouvent leurs propriétés insulaires à la remontée des eaux. À l'ouest, on longe d'abord les superbes maisons d'été qui s'accrochent au rivage de la grève centrale depuis l'époque où, après l'avènement du train, les villégiateurs américains et canadiens-anglais fortunés venaient passer les étés en famille dans le Bas-Saint-Laurent ou en Gaspésie. Puis on atteint la grève Rioux où se trouve l'ancienne résidence seigneuriale.

Et l'on poursuit ainsi de grève en grève, de plage en plage, d'escarpement en vallée bucolique, comme le font les participants au Défi des Îles qui se battent contre la montre le lendemain ou qui explorent les environs en s'amusant. On traverse ainsi par la côte tout ce territoire désigné comme la «région des Basques». Trois-Pistoles fait d'ailleurs face à l'énigmatique île aux Basques, à 5 km au large, où il est malheureusement impossible de débarquer pour les kayakistes, sauf une fois dans l'année, durant l'excursion du dimanche du Défi des Îles. C'est alors l'occasion de découvrir cette petite merveille d'histoire et d'écologie où l'on observe plus de 400 espèces de plantes.

L'île aux Basques a été fréquentée par les Amérindiens, qui en ont fait une plaque tournante du commerce, ainsi que par les baleiniers basques, qui y ont accosté durant

Rassemblement du Défi des Îles, quai de Trois-Pistoles

Entrevue sur le vif, Défi des Îles

une grande partie du XVIᵉ siècle, entre les voyages de Jacques Cartier et l'arrivée de Samuel de Champlain. Comme les puissants courants du secteur convergeaient vers ce récif d'à peine 2,5 km de longueur et 500 m de largeur, les Basques ont pu y amener facilement leurs prises gigantesques, qu'ils dépeçaient sur la grève avant de faire fondre la graisse sur les grands fours dont les archéologues ont retrouvé les emplacements. Certains ont d'ailleurs été reconstitués. L'huile obtenue du gras des baleines était utilisée pour l'éclairage en Europe.

Les Basques ont laissé d'autres traces dans cette région, vouée à leur souvenir. C'est ce qu'on remarque, entre autres, au Parc de l'aventure basque en Amérique où se réunissent en fin de journée les kayakistes participant au Défi des Îles. On y trouve un centre d'interprétation passionnant qui porte sur la présence basque dans la vallée du Saint-Laurent et sur l'histoire de ce peuple. Le plus étonnant reste toutefois le grand mur de pelote basque qui se dresse sur le site.

Trophée du Défi des Îles

Pages précédentes : Cueillette de vers de mer près du quai de Trois-Pistoles

À droite : L'île aux Basques

Le Défi des Îles n'est donc surtout pas un événement strictement compétitif. Il réunit une variété extrêmement large d'adeptes, jeunes et moins jeunes, athlètes et amateurs. J'y ai remarqué avec beaucoup de plaisir un grand-père en biplace avec son petit-fils, plusieurs débutantes, nombre de beaux couples de retraités qui respiraient le bonheur, de même que plusieurs kayakistes qui reviennent d'année en année pour vivre la merveilleuse ambiance de fête et d'amitié que les organisateurs ont su créer, puis préserver. C'est un *happening* qui ressemble à ses promoteurs, des gens accueillants qui aiment tout autant leur région que le kayak de mer et pour qui les deux sont indissociables.

Les kayakistes, qui pratiquent souvent d'autres activités de plein air, trouvent dans le secteur la piste cyclable du Littoral basque qui,

Interprétation sur la construction des fours basques

au fil de ses 42 km, offre plusieurs points de vue panoramiques sur l'estuaire. Les marcheurs peuvent également se payer la traite sur la section locale du Sentier national québécois sur lequel il est possible de parcourir 57 km de sentiers balisés dans le territoire des Basques.

Panneau d'interprétation sur l'île aux Basques

Pour ce qui est de l'hébergement, Trois-Pistoles compte plusieurs gîtes pittoresques ainsi que l'un des plus beaux terrains de camping de la région. Le Camping municipal de Trois-Pistoles jouit de fait d'une excellente réputation, ce que j'ai été à même de constater lors de nombreuses discussions avec des voyageurs qui y ont installé leur tente le temps d'un court séjour ou qui sont devenus des habitués. Il occupe un immense territoire boisé sur les hauteurs du littoral. Les brumes de la mer y rafraîchissent le temps tout en embaumant l'air ambiant. On y entend le traversier qui accoste et on n'a que quelques coups de pédaliers à donner pour se retrouver au bord de la mer, sur la piste qui va du camping au quai.

Trois pistoles pour le kayak

Les organisateurs du Défi des Îles Boréal Design ont eu l'heureuse et originale initiative de faire frapper la première pièce de monnaie à l'effigie du kayak de mer. S'inspirant de la monnaie ancienne qui a donné son nom à la municipalité de Trois-Pistoles, cette pièce de collection, produite annuellement à 1 500 exemplaires, avait une valeur de 3 $ en 2004.

Des clubs

En novembre 1998, la Fédération québécoise du canot-camping a adopté à l'unanimité la proposition d'élargir son mandat aux amateurs de canotage récréatif sous toutes ses formes, et plus particulièrement aux kayakistes de mer, en leur offrant par le fait même une plateforme de regroupement. Le nom de la nouvelle structure est donc devenu Fédération québécoise du canot et du kayak.

Avec la montée phénoménale de la popularité du kayak de mer, plusieurs clubs fédérés se sont formés en milieu urbain. Ces regroupements, qu'ils soient reconnus ou pas par la Fédération du canot et du kayak du Québec, ont généralement pour but d'offrir certains services à leurs membres, allant du programme de sorties et de rencontres, aux journées de formation ou d'excursion.

∾ Le Squall

Le club de kayak Le Squall, qui regroupe des amateurs de la région de Québec, illustre parfaitement ce qu'un tel club peut faire de mieux pour les adeptes du kayak de mer.

Son nom, *squall*, est d'origine scandinave et signifie «eau qui bouge avec force». En anglais, on lui donne plutôt le sens de «vent violent souvent accompagné de pluie ou de neige». Au Québec, lorsque le *squall* se pointe entre les murailles du Saguenay, précédé de nuages noirs, on s'attend à des rafales et à des bourrasques aussi puissantes que subites.

Fondé en 2002, le club Le Squall a connu une progression fulgurante de son membership passant d'une quinzaine d'intéressés au départ à près d'une centaine. Il s'agit d'un groupe très hétérogène, comme nous avons pu le constater. «Il y a parmi nous des gros, des petits, des longs, des courts, des rapides, des compétitifs et des contemplatifs, déclarait l'un des responsables du club, mais nous sommes tous unis par un désir commun : faire du kayak ensemble. La moitié des membres possèdent leur kayak, certains en kevlar, d'autres en fibre, la plupart en plastique. Quelques-uns, plus maniaques, ont même fabriqué leur propre embarcation et opté pour le bois. Mais tous ont la même passion du kayak de mer.»

Le club se donne donc une mission centrale simple, mais pas nécessairement évi-

Jonathan Mercier Saint-Hilaire, un pro du kayak

Randonnée au coucher de soleil, club Le Squall, Lévis

dente puisque tout le travail est assumé par des bénévoles. Il organise des activités pour les kayakistes de la région de Québec, notamment des sorties plusieurs fois par semaine à partir du chalet du club, fourni par la municipalité de Lévis et situé sur la grève Jolliet. Nous avons d'ailleurs participé à l'une d'elles au cours d'une des plus belles soirées de l'été.

Plus de 40 kayakistes étaient au rendez-vous pour un départ en début de soirée et une navigation jusqu'à la nuit tombée. Encadrés par les responsables de l'activité, qui veillent à la sécurité et à ce que tous disposent de l'équipement réglementaire, nous sommes d'abord remontés à contre-courant durant l'étale jusqu'à l'étrangle-

et moi n'avions jamais eu l'occasion de pagayer dans un décor industriel aussi «dépaysant» et imposant.

Juste au sortir de la rivière, nous nous sommes dirigés vers la superbe plage de la baie de Beauport qui attire des milliers de baigneurs les jours ensoleillés et nombre de planchistes par grand vent. Il aurait été possible de s'amuser longuement dans la baie, mais la lumière entre chien et loup a incité les guides à piquer vers la rive sud en remontant le plus possible vers Québec. Le groupe s'est laissé dériver à vive allure vers la grève Jolliet, poussé par les courants puissants conjugués à la marée. La lumière est alors devenue absolument féerique, colorant l'eau et le ciel d'un rose flamboyant sous les reflets du soleil couchant. Avant de rentrer, les plus habiles kayakistes n'ont pu s'empêcher de faire la démonstration de leur technique en s'amusant à remonter le courant déchaîné jusqu'à une bouée de navigation, inclinée sous la poussée de l'eau. Il faut bien que jeunesse se passe!

Durant toute cette magnifique balade, l'ambiance était à la rigolade, à la discussion, aux espiègleries, aux comparaisons des différentes embarcations ainsi qu'aux préparatifs des prochains voyages, puisque le club met aussi sur pied des excursions – toujours extrêmement populaires – de quelques jours dans d'autres régions. Ainsi, le club Le Squall, à travers ses sorties divertissantes, réalise ses objectifs d'éducation, de sensibilisation à la sécurité et aux règles d'éthique du kayakiste. Il tisse des liens serrés entre les amateurs et élargit constamment sa clientèle. Il propose un service de location ainsi que des cours en piscine et des formations reconnues par la

ment du fleuve qui caractérise Québec et Lévis. Comme les marées sont très fortes dans ce secteur, nous avons profité de cette période de calme relatif pour traverser jusqu'au port de Québec et admirer le point de vue incroyable sur la ville. Puis nous nous sommes engagés dans l'embouchure de la rivière Saint-Charles jusqu'au barrage. Alain

Kayak et romance

Fédération québécoise du canot et du kayak. Et il va de soi que les activités sociales sont également à l'honneur, comme dans tout club de plein air qui se respecte...

D'autres regroupements de kayakistes au Québec font de l'excellent travail, mais Le Squall représente indéniablement un modèle de dévouement, d'organisation, de participation et d'engagement. Consultez leur programme de sorties sur leur site Internet et joignez-vous à eux un de ces soirs pour apprécier pleinement les joies de la pratique du kayak en groupe dans un environnement unique. La promenade la plus populaire consiste à aller casser la croûte sur l'île d'Orléans et à en revenir.

La grève Jolliet, où le club a son local et tient ses activités, est un endroit facilement accessible, avec une aire de stationnement et des facilités de mise à l'eau. On s'y rend en

Les îles à la rame, archipel de Sorel

suivant le bord de l'eau à partir du traversier de Lévis, direction est.

Les îles à la rame

Les îles en question, ce sont les Cent-Îles du lac Saint-Pierre, un secteur d'une richesse écologique exceptionnelle, si bien qu'il a été reconnu «Réserve mondiale de la biosphère» par l'UNESCO. Chaque été, à la fin juin, près d'un millier de rameurs et de pagayeurs s'y retrouvent dans la région de Sorel pour une excursion inoubliable de 16 km à travers cette nature incroyablement prodigue. Il s'agit d'un événement tout à fait hors du commun, resplendissant de couleurs, éblouissant par la diversité des embarcations, étonnant pour la magnifique convergence d'esprit des participants, unique parce que canots, rabaskas et kayaks peuvent prendre possession des chenaux sans l'interférence des embarcations motorisées.

Pages suivantes : Kayak sous les pâturages, archipel de Sorel

Des individus

∼ Gilles Couët, le pionnier

Gilles Couët, le pdg de la compagnie Chloro-phylle Haute Technologie, est de ceux qui ont introduit le kayak de mer au Québec au milieu des années 1980. Avec le petit groupe de pré-curseurs qui gravitait autour du fabricant d'équipement de plein air, du pourvoyeur Guide Aventure et de la chaîne de boutiques de plein air L'Aventurier, il a grandement con-tribué à faire connaître le kayak de mer.

« Au début, nous étions essentiellement des amateurs de canot, alors que d'autres faisaient surtout du kayak d'eaux vives, con-fie-t-il. Le kayak de rivière ne nous intéressait pas à l'époque parce que nous ne pouvions pas transporter notre bagage et partir plu-sieurs jours. Lors d'une visite à la boutique Trailhead, à Ottawa, j'ai croisé Chris Harris qui arrivait d'un voyage de cinq jours en kayak de mer dans l'Ouest canadien. Il m'a raconté son aventure, et son récit m'a immé-diatement allumé. J'ai tout de suite com-mandé deux kayaks de mer de marque Chinook. Je ne saurais dire s'il y avait d'autres kayaks de mer à cette époque au Québec, mais je n'en avais jamais entendu parler.

« Le jour où nous les avons reçus, je suis parti avec Gilles Lévesque et nous les avons mis à l'eau sur le Saguenay en nous diri-geant vers la rivière Valin. On se regardait pagayer avec curiosité et on explorait fébri-lement ces bateaux avec plein de comparti-ments où mettre le stock. Ç'a été une véri-table révélation ! Bien sûr, au début, nous ne connaissions pas le potentiel de ces embar-cations. Rapidement, j'ai fait venir un biplace et deux ou trois autres monoplaces et nous avons commencé à réunir des ama-teurs pour des sorties sur le fjord.

« La grande question du moment con-cernait le comportement des kayaks par mauvais temps ou sur des eaux agitées, ce dont nous n'avions pas idée. Durant le pre-mier été, nous avons donc loué un bateau pneumatique qui nous suivait durant toutes nos sorties. Il a fallu faire notre apprentis-sage seuls puisque nous ne connaissions pas

Gilles Couët, le pdg de la compagnie Chlorophylle Haute Technologie

Régis Pageau, kayakiste de la première heure, île d'Anticosti

le kayak de mer ni personne ayant une expertise sur le sujet. Nous avons parcouru le Saguenay à quelques reprises et nous sommes allés à Mingan pour faire le tour des îles, puis à Anticosti.

«C'était une autre époque puisque nous pouvions camper librement partout sur les îles et le long du fjord, donc avant que les parcs s'y installent. Régis Pageau, un autre kayakiste de la première heure, avait été mandaté pour explorer le fjord du Saguenay et relever tous les sites de campement potentiels. Le souvenir des merveilleux campements sur la pointe de la Passe-Pierre ou dans la baie Sainte-Marguerite arrive encore à m'émouvoir. Mais nous ne savions pas jusqu'à

quel point il était possible de démocratiser cette activité alors que nous étions en train de l'apprendre nous-mêmes. Chose certaine, tout l'aspect découverte et observation en kayak de mer compensait amplement l'adrénaline que nous procurait le canot.

«Autre découverte majeure, lorsque nous arrivions dans le secteur de Tadoussac, il y avait des baleines partout. Comme nous ne connaissions pas les mammifères marins ni leur comportement en notre présence, nous avions une frousse terrible. Mais c'est l'enthousiasme qui l'a emporté puisque nous avons vite compris que le kayak représentait le plus fantastique des moyens pour découvrir la mer. Toutes les expériences de

La sortie du kayak double au Paradis Marin ; Gilles Couët et Sophie Bérubé

plein air que nous avions vécues auparavant s'étaient déroulées sur la terre ferme ou en eau douce. À l'intérieur du continent. J'ai eu alors l'impression de réapprendre la nature en découvrant l'effet des marées, les algues, les mollusques, les oiseaux marins, les baleines. Je ne connaissais rien de cette partie de la nature.

« Le kayak de mer nous a aussi amenés à aller voir plus loin que notre jardin après en avoir fait le tour. Nous sommes partis kayaker dans la Baja California, au Belize, dans l'Ouest canadien, en Alaska et sur la terre de Baffin. Dans nos boutiques, nous avons été les premiers à vendre des kayaks de mer et

Guide Aventure a été le premier pourvoyeur à offrir des séjours organisés en kayak de mer. Mais personne ne connaissait ça ! Et il a fallu plusieurs années pour populariser cette activité. Il y avait à l'époque une vingtaine de personnes par année qui descendaient le Saguenay en kayak de mer, alors qu'il y en a des milliers maintenant.

« Cette popularité est quand même récente. Elle ne date que de la fin des années 1990. Il faut toutefois parler d'une véritable explosion depuis ce moment. Je ne crois pas que cette ascension va garder le même rythme, mais il ne se produira pas, pour le kayak de mer, ce qui est arrivé avec la planche à voile, par exemple. Le kayak est là pour rester parce qu'il n'est pas dépendant du vent. Aussi parce que les prix sont devenus accessibles.

«Les bateaux ont également beaucoup évolué. Les embarcations de plastique sont de plus en plus sophistiquées. Et que dire du kevlar et du carbone qu'on utilise de plus en plus! Il n'y avait pas de cale-cuisses au début. L'esquimautage était donc extrêmement difficile. Les premiers kayaks de mer, qui venaient d'Europe, étaient plus petits alors que le type de voyages que nous faisions exigeait des embarcations plus grosses. De nos jours, on trouve sur le marché plusieurs bateaux techniques mais, également, plusieurs kayaks de loisir; cela contribue à élargir le nombre d'adeptes ainsi que les lieux de pratique, puisqu'on voit plusieurs kayaks sur les lacs, maintenant. Certains consommateurs optent pour les petits kayaks parce qu'ils n'envisagent pas nécessairement de longues excursions et du camping. Les fabricants mettent aussi beaucoup de soins à la finition des hiloires et au développement technique des pagaies.

«Nous ne pensions même pas à tout ça au commencement. L'équipement était beaucoup moins évolué. Nos vestes de flottaison nous remontaient sous le menton et n'avaient pas de poche; maintenant, les vestes de kayak sont équipées d'une poche pour les radios VHF ou les GPS. Nos techniques étaient sommaires, et même dans l'Ouest, très peu de spécialistes auraient pu nous aider; il nous aurait fallu aller en Angleterre, là où il y a une longue tradition de kayak. C'est probablement de là, d'ailleurs, que nous est venu le kayak de mer après avoir

transité par le Pacifique. De notre côté, il faut remonter aux Inuits pour entendre parler de kayak dans notre histoire. Et il s'est passé beaucoup de temps, entre les Inuits et nous!»

Pointe à Passe-Pierre, fjord du Saguenay

~ Nicolas Bertrand, le Groenlandais

Kayakiste passionné et verbomoteur intarissable, Nicolas Bertrand se définit comme un « homme amphibie ». Disciple inconditionnel du kayak traditionnel groenlandais, il revit viscéralement, par sa pratique, les origines nordiques d'une tradition qui a engendré le kayak moderne. « Il y a autant de différence entre un kayak groenlandais et un kayak de mer qu'entre une bicyclette et un tricycle », affirme-t-il.

Très étroit, peu profond, extrêmement profilé, avec une longueur pouvant atteindre de 6 à 7 m et une largeur de plus ou moins 45 cm, le kayak groenlandais se présente comme la plus fidèle adaptation de l'embarcation utilisée par les Inuits du Groenland et de certaines parties de l'Arctique canadien durant des millénaires. L'original faisait de 40 à 45 cm de largeur, mais il s'est quelque peu élargi avec l'introduction des armes à feu, au XIXe siècle, dont la manipulation demandait plus de stabilité.

Après être passé à un cheveu de la disparition, le kayak groenlandais connaît une renaissance étonnante, grâce à quelques jeunes mordus dispersés au Groenland, en Europe et en Amérique du Nord, y compris au Québec. Un club international regroupe les adeptes, qui doivent absolument construire eux-mêmes leur kayak pour devenir membres. Cela n'est d'ailleurs pas évident puisqu'il existe très peu de références et de techniques définies. Les disciples se regroupent également lors de compétitions mondiales, comme la course avec portage, vitesse, retournement, gymnastique de cordes et lancé du harpon.

Quant à Nicolas Bertrand, eh bien, il devient proche parent du phoque lorsqu'il a en main sa minuscule pagaie droite en bois ! Il ressemble même à la bête lorsqu'il endosse son *tulik*, un vêtement/jupette d'une seule pièce qu'il serre autour de sa tête avec une cordelette et dont il entoure l'hiloire. Ainsi accoutré, il peut faire la démonstration de dizaines de façons de se retourner sous l'eau, de jouer de la pagaie, de se « détendre » en se couchant sur le pont arrière ou en se laissant flotter sur le côté.

Nicolas Bertrand fait la démonstration de différentes techniques d'esquimautage avec son kayak groenlandais

Démonstration de lancement du harpon, lac Mégantic

Amateur de longs voyages à bord de sa coquille de composite, Nicolas a réalisé une expédition solo de 1400 km qui l'a mené de Montréal à Havre-Saint-Pierre, en Minganie, puis autour de l'île d'Anticosti.

Son dada consiste à pratiquer son sport sur le Saint-Laurent en hiver, dans la région de Montréal où il habite, ou partout où il trouve de l'eau entre les glaces. Ce faisant, ce jeune instituteur est devenu fort bien connu des autorités de la Garde côtière ainsi que des forces policières qui viennent régulièrement le «sauver» à la demande de citoyens qui l'aperçoivent dérivant joyeusement sous les ponts de Montréal, dans le port ou le long des rives glacées.

∼ Sébastien Savard, kayakiste et artisan

Avec l'expérience et la curiosité qui se développent au fil des années, de plus en plus de kayakistes tentent l'expérience de la fabrication artisanale de leur embarcation. Le goût de construire soi-même son kayak se répand donc partout. Sans prétendre qu'il atteint un niveau pandémique, nous avons constaté sur le terrain qu'il n'y a pas une région du littoral où l'on ne trouve quelques bricoleurs aguerris ou amateurs qui n'ambitionnent d'accoucher de leur propre embarcation. Si l'ampleur de la tâche et la patience incroyable qu'il faut pour la mener à terme rebutent la majorité, plusieurs se lancent tout de même dans l'aventure et concrétisent l'œuvre de leur vie à bord de laquelle ils paraderont fièrement sur les eaux.

Ceux qui ne craignent pas les chicanes de famille peuvent monopoliser le salon durant quelques semaines pour réaliser leur rêve. D'autres se réfugient dans un atelier et, en s'entêtant, acquièrent une expertise enviable à force de produire et de raffiner leur art. C'est le cas de Sébastien Savard, un Charlevoisien installé à Cap-à-l'Aigle, qui a construit la majorité des kayaks qui constituent sa flotte commerciale. Katabatik, son entreprise, demeure l'un des très rares pourvoyeurs à offrir des excursions à bord de kayaks artisanaux.

Sébastien Savard a poussé l'audace, ou la témérité, jusqu'à construire 12 kayaks d'une traite dans son atelier minuscule où il s'enferme durant l'hiver pour accomplir le gros du travail. Avec l'expérience, il a réussi à passer de 120 à 80 heures d'ouvrage par kayak pour un résultat sans concession. La construction comme telle nécessite environ 40 % de ce temps, alors que le reste est consacré à la finition : sablage, montage des équipements et détails.

La procédure

« C'est l'amour du kayak qui m'a amené à construire mes propres bateaux même si je n'avais aucune connaissance en ébénisterie ni dans le travail des matériaux composites », affirme d'emblée cet universitaire qui a une formation en philosophie. « Je me suis documenté et j'ai acheté quelques bouquins sur le sujet pour étudier les diverses méthodes utilisant la latte de cèdre ou le contreplaqué marin. L'information est aussi disponible sur Internet et provient surtout de sources américaines, anglo-canadiennes et un peu du côté québécois.

« Ces entreprises ont réussi à démocratiser la fabrication artisanale du kayak en élaborant des méthodes de construction accessibles et en diffusant des plans ainsi que des trousses de matériaux à assembler. Ces outils permettent au bricoleur débutant de construire son kayak en atelier. Il existe aussi de la documentation sur les anciennes méthodes de fabrication avec des peaux sur une armature de bois, ce à quoi j'aimerais en venir ultérieurement. J'ai toutefois décidé de fabriquer des bateaux de contreplaqué marin en raison de l'équilibre entre l'aspect artisanal de leur réalisation et la résistance de leur fini, qui ne demande pas un entretien trop fréquent. »

Selon Sébastien, la création d'un kayak exige essentiellement beaucoup de patience puisqu'il faut y travailler étape par étape

Sébastien Savard dans son atelier de fabrication, Cap-à-l'Aigle, Charlevoix

sans jamais brusquer les choses. Il est, en effet, très ardu de réparer les erreurs... Si on se procure un kit, on n'a qu'à suivre les instructions fidèlement. Si on achète les matériaux, il y a plusieurs étapes à respecter. «Au début, il s'agit d'un travail de dessin, de découpe et de biseautage de grande précision sur les panneaux de 1,2 m sur 2,4 m. Il s'agit ensuite d'assembler et de coller les constituantes individuelles pour produire la coque et réaliser les tests d'alignement minutieux qui vont assurer une structure parfaitement parallèle. L'assemblage et l'ajustement ressemblent à de la haute couture puisqu'on utilise du fil de cuivre inséré dans des trous à tous les 10 cm (180 bouts de fil pour un monoplace, 260 pour un biplace).»

Très sommairement, il faut ensuite appliquer à l'intérieur une toile de fibre de verre de haute densité avec de la résine, après avoir renforcé d'époxy les trois arêtes du fond et des bouchains vifs, puis lui accorder une journée de séchage. Vient le moment de recouvrir l'extérieur de la coque d'une autre toile de fibre et de poser les poutres de pont ainsi que les deux cloisons internes. Toutes les interventions de collage et d'épandage de l'époxy exigent un contrôle constant de la température de l'atelier entre 20 °C et 25 °C.

Puis, on passe à l'étape délicate, qui consiste à ancrer le pont sur la coque après avoir bien préparé son assise. Le contreplaqué, qui fait 4 mm, se plie relativement facilement et est fixé avec de la colle et des clous de cuivre. Sébastien choisit par la suite d'apposer une toile de fibre de verre sur le pont pour le renforcer et limiter les dommages d'éventuels intrusions d'eau,

alors que d'autres se contentent d'un vernis. Il mélange aussi la couleur de la coque à l'époxy extérieur avant de l'appliquer afin de rendre les égratignures moins apparentes. Il choisit le blanc pour des raisons de visibilité et de sécurité. Une fois le pont terminé, il réalise l'hiloire en surélevant sa bordure avec plusieurs couches de contreplaqué marin tenues au serre-joint et finies à la main.

«Reste ensuite le sablage... Du sablage... Et encore un peu de sablage, en prenant gare de ne pas trop amincir la toile, jusqu'à l'obtention d'une surface parfaitement lisse. Sablage et nettoyage, donc, puisqu'il est primordial que l'atelier reste d'une propreté impeccable durant les opérations de finition. Effectivement, la peinture finale de la coque et le vernissage du pont demandent un nettoyage parfait de l'embarcation et de l'atelier ainsi que des vêtements de travail propres afin qu'il n'y ait aucune particule de poussière dans l'air qui vienne créer des imperfections sur la coque. Idéalement, on procède à cette phase à l'extérieur de l'atelier. L'opération est effectuée à l'aide de rouleaux et de pinceaux en mousse, ce qui donne un résultat proche du fusil. L'habillage de l'embarcation, soit l'installation des cordages, du siège et des autres équipements de pont, vient presque clore le travail.»

Une signature

Les kayaks monoplaces de Sébastien Savard n'ont pas de gouvernail, mais ils sont équipés de lignes de vie et de poignées ergonomiques à chaque extrémité. Pour des raisons de solidité et de durabilité, ils sont plus costauds et plus lourds que ne l'exigent les recommandations des concepteurs. Par exemple, Sébastien remplit ses pointes d'époxy. Plus de poids, mais plus de résistance aussi. C'est un choix que chaque artisan doit faire. Ses monoplaces, qui mesurent 5,5 m, ne pèsent quand même que 22 kg ; un peu plus si l'on choisit l'acajou comme bois, le matériau le plus usuel étant l'okoumé. Ces deux essences tropicales sont laminées en trois plis. «On pourrait faire un kayak en préfini, mais il noircirait à la moindre intrusion

d'eau et supporterait mal l'humidité», soutient l'artisan.

Le plaisir de la fabrication artisanale tient aussi à une certaine paternité envers l'embarcation. Cela se traduit par son entretien saisonnier ou son rajeunissement périodique, des tâches plutôt faciles puisque le kayak n'a plus aucun secret pour son créateur. Quant à la satisfaction profonde du constructeur, Sébastien Savard l'exprime humblement : «Quand tu t'assoies dedans au printemps, tu sens que tu ne l'as pas volé !»

Kayak en bois monoplace. Participante au Challenge du Saguenay

∿ Sylvie Major et Louis Dubord, ou la vie de pourvoyeur

Fjord en kayak

En 1995, un jeune couple d'idéalistes démarrait, en même temps que son histoire d'amour, une entreprise de plein air, Fjord en kayak, qui allait devenir une référence au Québec dans le monde du kayak de mer et de l'écotourisme.

Depuis, l'entreprise a remporté la plus importante reconnaissance dans l'industrie touristique québécoise, une palme d'or nationale aux Grands Prix du tourisme du Québec en 2002. Mais, au-delà des honneurs, l'histoire de Fjord en kayak a ceci de remarquable qu'elle s'est forgée sur un chemin quasi vierge, dans un domaine où tout était à inventer et doit être réinventé d'année en année.

Louis Dubord et Sylvie Major

Un travail dans l'ombre

Pour les milliers d'amateurs qui découvrent le kayak de mer sur le fjord du Saguenay ou sur le Saint-Laurent, le travail des pourvoyeurs qui ont tout mis en place pour leur bonheur demeure effacé. Et il doit le rester pour que seule persiste la notion de plaisir. Pourtant, il s'agit d'un métier complexe fondé sur la virtuosité de la coordination, des relations humaines et de l'expérience du terrain ainsi que sur une faculté soutenue d'adaptation aux variantes des conditions quotidiennes. Sylvie Major et Louis Dubord maîtrisent assurément ces données.

«Vous êtes chanceux de travailler l'été et d'être en vacances l'hiver!» voilà le genre de commentaires qu'ils entendent sans relâche. Pourtant, une entreprise sérieusement menée exige des attentions tout au long de l'année. À la fermeture des livres, en novembre, les propriétaires de Fjord en kayak envisagent déjà la saison suivante, dont ils entameront la promotion dès janvier...

Après avoir conduit leur barque durant dix ans, la petite famille commence à peine à envisager quelques semaines de vacances après des mois de travail sans relâche, sept jours par semaine, du matin au soir. «Cela signifie que nous commençons à pouvoir vivre de notre entreprise puisque nous avons toujours occupé d'autres emplois durant l'hiver, jusqu'à récemment», expliquent-ils.

Louis et Sylvie partagent les responsabilités à parts égales en ne laissant rien au hasard, et c'est probablement là leur plus grande force. Lui, c'est l'administrateur du tandem. Avec une formation en gestion orientée vers les activités touristiques, il est

Arrivée, anse du Portage, fjord du Saguenay

responsable de la tenue des livres. Louis, dont l'expérience professionnelle première provient de l'industrie du ski alpin, s'occupe également de la formation des guides, ce à quoi il attribue une importance primordiale. Et, la plupart du temps, on le retrouve en mer avec ses «invités» durant la saison de kayak, qui s'étire de mai à octobre. Elle, c'est la communicatrice, la responsable des ventes et du marketing. C'est aussi Sylvie qui accueille la clientèle dans un petit cabanon installé avec leur flotte sur un terrain étroit, mais très stratégiquement positionné aux abords du quai de L'Anse-Saint-Jean, l'endroit le plus passant du village et un site d'où l'on peut facilement mettre à l'eau, peu importe la marée.

Navigation en groupe. Le mauvais s'en vient dans le fjord du Saguenay

S'adapter, de saison en saison

Dès le départ, Fjord en kayak a établi un plan de marketing qui peut évoluer de saison en saison, mais qui maintient comme objectif ultime le retour de la clientèle. Des clients satisfaits qui reviennent, donc, et, idéalement, amènent famille, compagnons d'aventure et amis avec eux. Comment parvient-on à ce résultat ? La réponse tient en un seul mot : «qualité !» Une norme qui s'articule dans un enchaînement de petits détails liés à des attentions personnalisées, à une cuisine élaborée, contrôlée et préparée à la maison, au renouvellement de la flotte de plastique pour de la fibre de verre. «Je veux pour nos clients ce à quoi je tiens pour moi-même», affirme Sylvie de façon catégorique.

Cela signifie que, durant les premières années d'activité, ils ont imposé un produit de qualité malgré les règles de concurrence ne retenant parfois que les prix. À force de persister dans cette optique, l'entreprise a commencé à recueillir ses fruits après cinq ou six ans, si bien qu'aujourd'hui, la clientèle de longue expédition (de trois à cinq jours) de Fjord en kayak est composée de «récidivistes» à 70%. Il ne s'agit pas encore d'une consécra-

tion puisque ce type d'entreprise demeurera toujours d'une fragilité extrême. «Un seul accident peut causer un tort irréparable.» C'est toutefois la concrétisation d'un rêve un peu fou. «Je crois qu'il faut être jeune pour se lancer dans ce genre d'aventure, affirme Sylvie. Jeune et naïf pour penser que l'on pourra un jour en vivre et avoir une bonne vie.»

Son but premier n'était cependant pas la prospérité, mais bien la possibilité de revenir vivre dans sa région d'origine, alors qu'elle souffrait d'asphyxie morale et physique dans la grande ville où elle ne s'est jamais adaptée. Elle a donc sorti Louis de la ville pour l'amener au Saguenay et ensemble, dans un geste quasi visionnaire, ils ont implanté dans le village en train de devenir le plus touristique du Bas-Saguenay, une activité récréative et touristique qui en était encore à ses balbutiements.

Sur leur parcours, il n'y avait pas de mode d'emploi ni de façon de faire préétablie. Ils ont donc dû apprendre en direct au départ, en adaptant leurs expériences et en capitalisant sur les bons et les moins bons coups de la saison précédente pour préparer la suivante, jusqu'à ce que le niveau de qualité envisagé soit atteint. Pour ce faire, la substance de la relation entre les guides et la clientèle demeure le nerf de la guerre, de là l'importance que les propriétaires de Fjord en kayak attribuent au choix et à la formation des guides. «Chaque printemps, Louis part en excursion de formation durant trois jours avec tous nos guides.»

En plus d'établir une façon de faire uniforme et d'assimiler clairement des règles de sécurité, cette sortie contribue à souder l'équipe qui va porter et défendre les couleurs de l'entreprise. «Il est important d'avoir des guides qui adoptent Fjord en kayak et qui vont revenir plusieurs années successives puisque nous ne confions jamais de longues sorties à des accompagnateurs qui en sont à leur première année. Nos guides doivent aussi transmettre le plaisir de la navigation en stimulant l'intérêt des kayakistes par l'interprétation de la nature, une aptitude que nous communiquons individuellement au personnel. Mais il est difficile de fidéliser des jeunes aventuriers qui rêvent de bohème.»

Quant à la sécurité, il va de soi qu'elle doit être sans faille. Sous plusieurs aspects, elle dépend souvent du bon jugement et du courage du pourvoyeur, qui doit sacrifier une partie de ses revenus pour le bien-être de sa clientèle. Par exemple, Fjord en kayak a annulé trois jours de sorties par semaine à l'été 2003 à cause des forts vents. Cela, même si certaines décisions ont contrarié les clients, pas toujours conscients des dangers. Il faut insister sans relâche pour que les guides ne baissent jamais la garde. Puis s'entendre avec les vacanciers frustrés pour trouver des compromis.

Et pourquoi s'accroche-t-on à cette vie de pourvoyeur qui apparaît tellement exigeante? «Pour la liberté de mener notre propre entreprise dans l'environnement que nous aimons. Pour la satisfaction et la fierté de bâtir quelque chose de solide que nous voyons grandir sous notre impulsion, insiste Sylvie. Nous sommes devenus autonomes. Nous travaillons dehors, loin des bureaux et de leur ambiance. Nous sommes entourés de jeunes extrêmement stimulants. Nous nous sommes bâti une clientèle fidèle. Nous gérons notre propre destinée. C'est tout cela qui nous importe le plus.»

∼ Hélène Phillion, extrêmement kayak!

Athlète, femme d'affaires et mère, Hélène Phillion est toujours d'attaque et elle se maintient dans une forme dangereuse. Le kayak tient une place de choix chez la grande blonde au regard étincelant. À cette ancienne championne québécoise et canadienne de kayak d'eaux vives, le kayak de mer apporte l'exaltation ou la paix méditative.

La toute première fois que j'ai fait du kayak de mer, comme elle le raconte en préface, c'était avec elle. Peu de temps après, elle était de l'Expédition Narval, sur la terre de Baffin, pour un tournage que j'avais contribué à mettre sur pied. Ensuite, nous avons publié ensemble un livre sur la cuisine en plein air, intitulé *La grande cuisine des petits campements* (Guy Saint-Jean éditeur). C'est une amie de toujours, tant pour Alain que pour moi, et une femme exceptionnelle dont nous avons suivi l'évolution du coin de l'œil.

«À l'époque, dit-elle, je m'entraînais tous les hivers en kayak d'eaux vives dans l'Ouest canadien. Et il y avait des kayaks de mer partout! Je les ai vus de près un jour où j'étais en train d'acheter un casque de kayak à la boutique EcoMarine de Vancouver.» Dès son retour au Saguenay, elle partait en kayak de mer explorer le fjord, la Minganie et l'archipel Saint-Augustin dans la Basse-Côte-Nord avec le noyau de pionniers qui allait faire connaître cette nouvelle embarcation au Québec. Déjà, elle pagayait tellement fort qu'elle avait l'habitude de décrire de grands cercles au large du groupe plutôt que de suivre...

« Le kayak de mer a été ma première véritable rencontre avec le plein air. Bien sûr, je faisais déjà du sport à l'extérieur, mais avec cette expérience, le kayak de mer est devenu un moyen de m'évader en nature et de découvrir les territoires plus éloignés. Ma passion s'est déclenchée au contact de l'eau et du vent. » Hélène Phillion aime les vagues ainsi que le vent. Plus ils sont puissants, plus elle les aime. Elle ne peut concevoir que l'on tienne compte de la météo avant de sortir puisqu'elle maîtrise parfaitement son bateau, sa technique et sa force. « Je n'ai jamais encore rencontré de conditions qui me procurent la moindre inquiétude et je n'ai jamais dessalé. » Comme Hélène se sert au maximum de sa technique en eaux vives, pour elle les grosses vagues deviennent des promesses de surf dément et de plaisir pur. À tous ceux qui veulent pratiquer le kayak de façon plus intensive, elle conseille ceci : « Allez en piscine suivre une formation et assimiler les techniques de base du kayak d'eaux vives. On pagaie presque toujours dans des eaux froides et des conditions changeantes, mais le fait de savoir esquimauter réduit considérablement le risque d'erreurs. »

Cependant, ajoute-t-elle, « le kayak de mer, ce n'est pas que ça pour moi. C'est sportif et ça peut être contemplatif. C'est aussi un moyen de voyager, de longer les rives, d'aller au large quand il y a des vagues et de revenir en sécurité. Surtout, il s'agit du moyen idéal pour aller aux baleines. » Durant 12 ans de suite, Hélène s'est rendue en Minganie à la rencontre des mammifères marins. Elle en garde un engouement profond qu'elle a transmis à ses enfants qui, comme bien des adolescents, trouvent le kayak de mer ennuyeux. Mais les baleines, ça change tout ! « Depuis que j'ai des enfants, je fais du kayak de rivière la semaine et du kayak de mer les fins de semaine. J'ai fait beaucoup de kayak-camping avec les enfants. Peut-être trop... »

J'ai vu débarquer Hélène à Longue-Pointe-de-Mingan deux semaines après son accouchement et installer le nouveau-né dans son kayak pour partir en mer quelques minutes plus tard... « J'avais déjà kayaké avec Gabriel avant puisque je lui ai fait faire sa première balade quand il avait cinq jours. Préalablement, j'étais sortie jusqu'au jour de l'accouchement. J'étais d'ailleurs plus à l'aise avec la bedaine qu'avec le support ventral pour l'enfant. Je l'ai donc installé dans un siège d'auto avec un petit parasol au-dessus. Je l'allaitais et je partais deux heures jusqu'à ce que la faim le réveille et qu'il se mette à pleurer.

« Au fond, ce que j'aime, c'est de pagayer. Lorsque je me trouve sur la Côte-Nord, je me lève à 5 h 30 et je pars en kayak quelques heures. Je reviens pour réveiller la famille. On déjeune et on sort aux baleines ! Chez moi, je sors le midi en kayak de vitesse pour bien sentir le mouvement de la pagaie et la rapidité. » Malgré sa pratique sportive, Hélène ne comprend pas que l'on puisse concevoir le kayak de mer comme une discipline de compétition. « J'ai participé une fois à un *challenge* à la suite de pressions des organisateurs et je l'ai gagné parce que je fais de la compétition pour une seule raison : gagner ! Toutefois, une épreuve en kayak de mer demeure un illogisme à mes yeux. Du marathon, à la limite, mais pas de la course !

Hélène Phillion, toujours prête à appareiller

« D'abord, la posture assise en kayak de mer ne permet pas un mouvement complet de pagaie à cause de la position des hanches et des jambes ouvertes ainsi que de la difficulté à tourner le tronc. En plus, il s'agit d'un équipement qui n'a pas de standard et qui n'est pas conçu pour la course, mais pour le voyage. Pour faire de la compétition, il faut que l'équipement soit standardisé. Et la philosophie du kayak de mer ne s'y prête pas.

« Maintenant que j'ai délaissé la compétition de kayak d'eaux vives, je pratique les sports que j'aime pour mon seul plaisir, d'autant plus que je me retrouve vraiment dans mon élément quand je suis dans l'eau. Le sport de haut niveau procure une sensation de bien-être provoquée par la chimie du corps. Le kayak de mer, lorsque le mouvement ovale de pagaie est bien exécuté et régulier, permet d'entrer dans un rythme et de passer à un mode d'intériorité presque méditatif. Deux perceptions très différentes ! »

Pages suivantes : Les eaux se gonflent dans le fjord du Saguenay

Médiagraphie

Références Internet

Général

Fédération québécoise du canot et du kayak : www.canot-kayak.qc.ca

Québec Kayak, kayak de mer et grandes randonnées maritimes : www.cam.org/~cyrd/kayak/

Le kayak de mer dans le Nouveau-Monde : www.kayakdemer.net

Sea kayak (É.-U.) – près de 1 500 pages d'informations dont une liste de plus de
   40 fournisseurs de plans et de kits : www.seakayak.com

Coopérative Kayak des îles, Trois-Pistoles : www.kayaksdesiles.com

Club Le Squall, Québec/Lévis : www.lesquall.com

Camping au Québec : www.campingquebec.com

Sécurité

Garde côtière canadienne : www.ccg-gcc.gc.ca/main_f.htm

Bureau de la sécurité nautique (Transports Canada) : www.securiténautique.gc.ca

Guide de sécurité : www.cam.org/~cyrd/kayak/brochure_kayak.pdf

OPS Kayak de mer, Longue-Pointe-de-Mingan : www.opskayak.com
   Courriel : opskayak@globetrotter.net

Mise à l'eau

Liste des sites de mises à l'eau sur le Saint-Laurent : http://perso.b2b2c.ca/brodema

Martin Brodeur s'est servi de ses propres expériences ainsi que de l'apport d'autres kayakistes
   internautes pour répertorier plusieurs sites de mises à l'eau sur les deux rives du Saint-
   Laurent. Il divise ses informations en quatre secteurs géographiques :

– Tronçon fluvial : frontière de l'Ontario jusqu'à Trois-Rivières

– Estuaire fluvial : Trois-Rivières jusqu'à la pointe est de l'île d'Orléans

– Estuaire moyen : pointe est de l'île d'Orléans jusqu'à Tadoussac/L'Isle-Verte

– Estuaire maritime : Tadoussac/L'Isle-Verte jusqu'à Pointe-des-Monts/Les Méchins

Le site comprend des informations pratiques et des commentaires pertinents.

Revues spécialisées

Espaces : www.espaces.qc.ca

Géo Plein Air : www.geopleinair.com

SeaKayaker : www.seakayakermag.com

Adventure Kayak : www.adventurekayakmag.com

WaveLength : www.wavelengthmagazine.com

Canoe Kayak : www.canoekayak.com

Construction artisanale
Chesapeake Light Craft : www.clboats.com
Qajaq USA : www.qajaqusa.org

Informations gouvernementales
Atlas des courants de marée, cartes marines, instructions nautiques, guides nautiques,
table des marées :
Bureau de distribution des cartes marines
Pêches et Océans Canada
1675, chemin Russell
C. P. 8080
Ottawa (ON) K1G 3H6
Tél. : (613) 998-4931
Téléc. : (613) 998-1217
Courriel : chs—_sales@chshq.dfo.ca
Internet : www.chshq.dfo.ca

Table des marées : www.lau.chs-shc.dfo-mpo.gc.ca
Service hydrographique du Canada : www.cartes.gc.ca
L'Atlas du Canada
http://atlas.gc.ca/site/francais/learningresources/facts/index.html
Météo Canada, météo maritime : weatheroffice.ec.gc.ca
Environnement Canada : www.ec.gc.ca

Parcs nationaux, réserves naturelles et sites de pratique
Parcs Canada : www.pc.gc.ca
Parcs nationaux du Québec – Société des établissements de plein air du Québec (Sépaq) :
www.sepaq.com
Parc de la Rivière-des-Mille-Îles : www.parc-mille-iles.qc.ca

Observation des mammifères marins
Parc marin Saguenay – Saint-Laurent : www.parcscanada.gc.ca/saguenay-saint-laurent
GREMM (Groupe de recherche et d'éducation sur les mammifères marins :
www.baleinesendirect.net

Bibliographie

Atlas des courants de marée, Pêches et Océans Canada, Ottawa, 2003, 260 pages.

BRODEUR, A. S. «Toussaint Cartier», *La Presse*, samedi 29 septembre 1905.

BRUEMMER, Fred. *Le Narval, sur les chemins de la licorne*, Montréal, Les Éditions Héritage, 1994, 144 pages.

CHABOT, Robert et Anne ROSSIGNOL. *Algues et faune du littoral du Saint-Laurent*, Institut des sciences de la mer de Rimouski & Pêches et Océans Canada, Institut Maurice-Lamontagne, Québec, 2003, 113 pages.

COMITÉ D'INTERVENTION PRIORITAIRE DU SUD-DE-L'ESTUAIRE. *Le Sentier maritime du sud de l'estuaire*, brochure, 2003.

COMMISSION DE TOPONYMIE DU QUÉBEC. *Noms et lieux du Québec*, Dictionnaire illustré, Les publications du Québec, Montréal, 1994.

CÔTÉ, Louise, TARDIVEL, Louis et Denis VAUGEOIS. *L'Indien généreux, Ce que le monde doit aux Amériques*, Montréal, Les Éditions du Boréal, 1992.

FÉDÉRATION QUÉBÉCOISE DU CANOT ET DU KAYAK. *Kayak de mer, guide de sécurité*, 1999, 37 pages.

GERMAIN, Georges-Hébert et David MORRISSON. *Inuit, Les peuples du froid*, Montréal, Libre Expression, 1995, 159 pages.

LAMONTAGNE, Denys. *Le Québec autochtone*, Wendake, Les Éditions de la Griffe de l'Aigle, 1996, 288 pages.

LÉTOURNEAU, Denise. *Vocabulaire des loisirs de plein air*, Les Publications du Québec, Cahiers de l'Office de la langue française, Charlesbourg, 1993, 245 pages.

MALTAIS, Stéphane. *Le kayak – Les bases, Le kayak de mer dans le Nouveau Monde*, Équipement, 2004, site Internet : www.w10/kayakdemer/equipement/art_kayak.html

McBETH, Jim. *Pionneer on Pilgrimage to Kayak Birthplace*, août 2004, News, site Internet : www.scotsman.com

PAQUIN, Jean. *Guide photo des oiseaux du Québec et des Maritimes*, Waterloo, Éditions Michel Quintin, 2003, 480 pages.

SAINT-JEAN, Louis. «Sentier maritime, un projet au long cours», dans *Espaces*, 2004, site Internet, www.espaces.qc.ca

TACHÉ, Jean-Charles. *Les Sablons et l'île Saint-Barnabé*, Montréal, Bibliothèque religieuse et nationale, 1885.

TINARRAGE, Patrick. *Terminologie du kayak de mer*, Québec Kayak : kayak de mer et grandes randonnées maritimes, Lexique, 2004, site Internet : www.quebeckayak.com

TOURISME QUÉBEC. *Guide de mise en valeur des plans d'eau du Québec à des fins récréo-touristiques et de conservation du patrimoine*, 2000, 61 pages.

Remerciements

Boréal Design
Nathalie Simard et Éric Blouin

CTMA – Le Vacancier
Léonard Arsenault

Bell Mobilité, Libre Contact IX
Luc Vandal, Louis Larochelle, Bertrand Tremblay

Tourisme Québec
Patrice Poissant

Sépaq
Jean-Charles Morin

Groupe Contact Image
Raymond Cantin

Îles-de-la-Madeleine
Tourisme Îles-de-la-Madeleine : Michel Bonato, Isabelle Cummings

Les Excursions Odyssée : Michel Larocque, Philippe Morrissette, Anne-Sophie Desforges

Centre nautique de l'Istorlet : Rita Castonguay, Cédrik Perreault, Marie-Pier Desrosiers, Dominique Lessard, Robert Fradette, Alain Arsenault

Parc de Gros-Cap, camping, auberge de jeunesse et kayak de mer : Frédéric Côté, Carole Hébert et Germain

Camping des Sillons : Marguerite Richard

Club Vacances Les Îles (Grande-Entrée) : Claude Boudrias, Josiane Doyle

Les Excursions en Mer : Nadine Blacquière, Gaston

Auberge Le Berceau des Îles et location de maisons : André Poirier et Christine

Côte-Nord
Tourisme Duplessis : Stéphanie Prévost, Danie Bourdeau

Expédition Agaguk, Havre-Saint-Pierre : Gilles Chagnon, Pierre Saint-Hilaire, Dominic Benoît, Isabelle Compagnat

Parc national du Canada de l'Archipel-de-Mingan : Julie Valcourt, Dany Thériault, capitaine Louis Richard, Claude Arseneault

OPS Kayak de mer : Martin Desrosiers, Mathieu Bourdon

Camping Chemin Faisant, Natashquan

Camping municipal de Havre-Saint-Pierre

Camping Site historique de Rivière-Pentecôte

Charlevoix
Tourisme Charlevoix : Marc Giasson

Katabatik kayak de mer, La Malbaie : Sébastien Savard, Gabriel Secours, Mathieu DePassillé, Francis Baillargeon et Anne Pelouas

Bas-Saint-Laurent
Tourisme Bas-Saint-Laurent : Pierre Fraser, Louise Lacoursière

Défi des Îles, Trois-Pistoles : Jean-Luc Landry, Éric Malenfant, Yves Desjardins, Serge Gagnon, Lise Bélanger, Jean Létourneau

Rivi-Air Aventure, Rimouski : Jean-François Dubé, Sébastien Dugas, David Morrissette, Gaston Plourde

Camping La Luciole, Sainte-Luce : Marguerite Dechamplain, Édith Ferlatte

Camping municipal de Trois-Pistoles

SEBKA – Saint-Raymond-de-Kamouraska : Pierre Lemire, Anne-Sophie et Mylène Bernier-Lemire, Olivier Labbé, Louis Saint-Cyr, Étienette Thériault, Miguel Forest et Carole, Caroline Michaud et Camil

Sentier maritime du Saint-Laurent : Émie Labrecque

Montréal
Montréal : H2O Aventures (canal de Lachine) : Marc Merulla

Cantons-de-l'Est
Tourisme Cantons-de-l'Est : Danie Béliveau

Grand rassemblement du lac Mégantic, Piopolis : Luc Bouchard, Sophie Hardy

Montérégie
Tourisme Montérégie : Véronique Dumont

Parc national des Îles-de-Boucherville : Marie-Hélène Saint-Louis, Pierre Bureau

Laval
Tourisme Laval : Denis Giroux

Amikayak, Rivière-des-Mille-Îles : Stéphane Joyez

Parc de la Rivière-des-Mille-Îles : Michel Aubé

Camping Parc du Mont-Laval : Jacques Bourgeois

Québec
Club Le Squall : Pierre Godbout, Michel Lafrance, Richard Turcotte, Michel Houde

Boréal Design : Mirella Girard, Jonathan Jonathan Mercier St-Hilaire

Chaudière-Appalaches
Tourisme Chaudière-Appalaches : Hélène Bernard

Parc national de Frontenac : Éric Lessard, Gaëlle et Olivier

Kayaks et Nature (Saint-Antoine-de-Tilly) : Paul Brunet, Marie-France Saint-Laurent, Vital et Yolaine Blanchet

Les amis et la famille
Joanne Marcotte, Joane Bilodeau, Olivier Dallaire Dumas, Jennifer Marcotte-Ouellet, Pierre Beaudoin, Carl Tremblay et Céline Néron, Patrice Gauthier, Gilles Couët, Sabin Tremblay, Jonathan Saint-Pierre, Hélène Phillion, Régis Pageau, Gilles Lévesque

Achevé d'imprimer au Canada
sur les presses des Imprimeries Transcontinental Inc.